ヴィクトリア朝英国の化学者と近代日本

アレキサンダー・ウィリアム・ウィリアムソン伝

犬塚孝明

A Chemist of Victorian England and Modern Japan

A Biography of Alexander William Williamson

Takaaki Inuzuka

まえがき

Preface

英国が生んだ著名な化学者であるアレキサンダー・ウィリアム・ウィリアムソンの名を初めて知ったのは、およそ四十年前である。十九世紀後半にロンドン大学へ留学した日本の若者たちのことを調べていた時であった。最初に目にした『英国人名辞典』（*Dictionary of National Biography*）のウィリアムソンの項目に記されていた次の言葉に強く惹きつけられたのをよく覚えている。

ウィリアムソンの科学的な信望、その性格の力強さ、そして世界主義的な視野(cosmopolitan outlook)ゆえに、彼は日本の高貴な若者たちの小さなグループの保護者に選ばれた。

その後、気にかけつつも、この言葉の意味を深く追究せずに、いくつかの本や論文にウィリアムソンの名を書いてきた。四十数年を経て、今ようやくウィリアムソンの生涯を繙《ひもと》く機会を与えられ、彼の偉大さ、とくに辞典のいう「科学的な信望」、「性格の力強さ」、「世界主義的な視野」の意味が理解できたと同時に、日本に対する彼の甚大な影響力に驚かざるを得なかった。それは、「科学的」な影響をはるかに超えて、建設途上の近代日本の精神や思想に深く関わった部分が少なくなかったからである。英国で学んだ若者たちが、帰国後、日本の近代化に全力で取り組むことになるが、その時、彼らの創造的思考の基本に横たわっていたのは、意識するしないにかかわらず、明らかにウィリアムソンの教えとその「世界主義的な視野」であったと見てまず間違いないであろう。

そこで私は、この「世界主義的な視野」をもう少し具体的な表現に置き換えるべく、ウィリアムソンがロンドン大学の教授就任演説で述べた"Development of Difference, the Basis of Unity"をもとに、"Unity out of Difference"（異質の調和）という言葉を導き出してみた。ウィリアムソンの生涯を貫く重要なキーワードと思えたからである。私なりに「異質の調和」と表現することにしたこの言葉を、科学や思想、哲学などの学問分野だけでなく、人間界全体を捉えるべき言葉としてご理解いただきたく思う。

もう一つ、本書で描きたかったのは、ウィリアムソンの影響を受けた日本の若者たちの生き方の問題である。彼らは、ウィリアムソンの学問なり思想なりをストレートに日本に持ち帰ったのではなく、彼らなりに自己の内部でそれを咀嚼し、日本の文化や実情に即したものに変えて祖国に根付かせようとした。その時の軋轢や苦闘には想像を絶するものがあった。そのことで彼らが命を縮めた場合もある。彼ら自身が「異質の調和」を実現するのにかなりの努力と歳月を必要としたのである。それを本書から少しでも読み取っていただけたら幸いである。

科学の歴史や知識に疎い私が、英国の化学者の伝記を書くことはまさに冒険に等しかったが、日本の近代史にとって見過ごせない多くの問題を孕んでいただけに、あえて挑戦を試みることにした。膨大な量の資料群を前に取捨選択と資料解読の試行錯誤を重ねつつ、慎重を期して論じたつもりではあるが、それでも科学の専門家から見れば、あるいは間違いや理解し難いところもあるかもしれない。読者諸賢の忌憚のないご批判を仰ぐ次第である。

二〇一五年五月

犬塚孝明

目次

Contents

アレキサンダー・ウィリアム・ウィリアムソン

Alexander William Williamson
1824-1904
Courtesy of UCL Art Museum

第一章　知の旅人

Chapter 1

A Traveler of Intelligence

テムズ河畔の街ワンズワース。ロンドンの中心部から南西へ約六キロほど下ったところにある美しい街である。インナー・ロンドンの一部を構成している特別区（London Borough of Wandsworth）でもある。十八世紀にはサリー州の行政区（Parish）の一つをなし、ヨークの大主教領やスペンサー伯爵家の広大な荘園が広がる美しい田園地帯であった。田園のここかしこで風車が回り、粉を碾《ひ》く音が絶えなかった。十九世紀の産業革命後は、風車小屋が近代的な製粉工場へとその姿を変えたものの、風車が回り牛が草を食むのどかな景色は保たれていた。

その田園地帯を横切る形で、北のテムズ河へ向かってワンドル川がゆったりと流れている。左岸一帯は住宅地として発展し、十九世紀になると、タウンホールやホテルが次々と建てられ、住民の数も増えていった。十九世紀後半の地図を眺めていると、ワンドル・テラス（Wandle Terrace）などという住宅地らしい地名も散見される。

若き日の父アレキサンダー

この美しい街の小さな教会で、スコットランドのエルギン（Elgin）からやってきた若者が、ロンドンに住む同郷の商人ウィリアム・マカンドリュウ（William McAndrew）の娘と結婚式をあげた。一八二〇年七月十日のことである。若者の名はアレキサンダー・ウィリアムソン（Alexander Williamson）。娘の名はアントニア・マカンドリュウ（Antonia McAndrew）。三十四歳の同い年であった。アレキサンダーは夢多き青年であった。祖父の代にエルギンで手袋商人として成功し、父はロンドンに出て東インド会社の書記の職を得た。九人姉妹弟の四番目であったアレキサンダーも父の跡を継いで、東インド会社に勤めることとなり、その夢は大きく膨らむ。というのも、母方の伯父アレキサンダー・グレイ（Alexander

Gray）が、インドのカルカッタで東インド会社の医師として有名であったからである。のちエルギンのスミス病院の創立者となるグレイ医師はアレキサンダー青年の名付け親でもあった。

　アレキサンダーは強い性格を有し、明敏な思考力を持つ独創性豊かな青年であった。東インド会社でも、その能力ゆえにめきめきと頭角を現し、直属の上司であるジェイムズ・ミル（James Mill）に嘱目される存在となった。ミルは一八一九年以来、東インド会社の通信審査部に勤めるエリート官僚であったが、むしろ社会思想家として英国内外でその名を馳せていた。ミルはスコットランドのエディンバラ大学出身で、一八〇八年に功利主義思想家のジェレミイ・ベンサム（Jeremy Bentham）と知り合い、友人兼弟子としてベンサムの思想普及に貢献、いわゆる哲学的急進派を形成する。当然のことながら、アレキサンダーは、兄のように慕うミルから功利主義思想の大きな影響を受けることになる。ミルの思想の根底には、「人間性」（ヒューマン・ネイチュア）を中心に政治・経済や法制・文化などを総合的に把握しながら、「社会の発展を法則的にあとづけよう」とする「モーラル・フィロソフィー」（道徳哲学）の性格が強く横たわっていたという（杉原四郎『J・S・ミルと現代』）。

　妻のアントニアも、そうした夫の性格をよく理解しつつアレキサンダーを支え続けた。彼女は意志

ジェレミイ・ベンサム
Jeremy Bentham
1748-1832

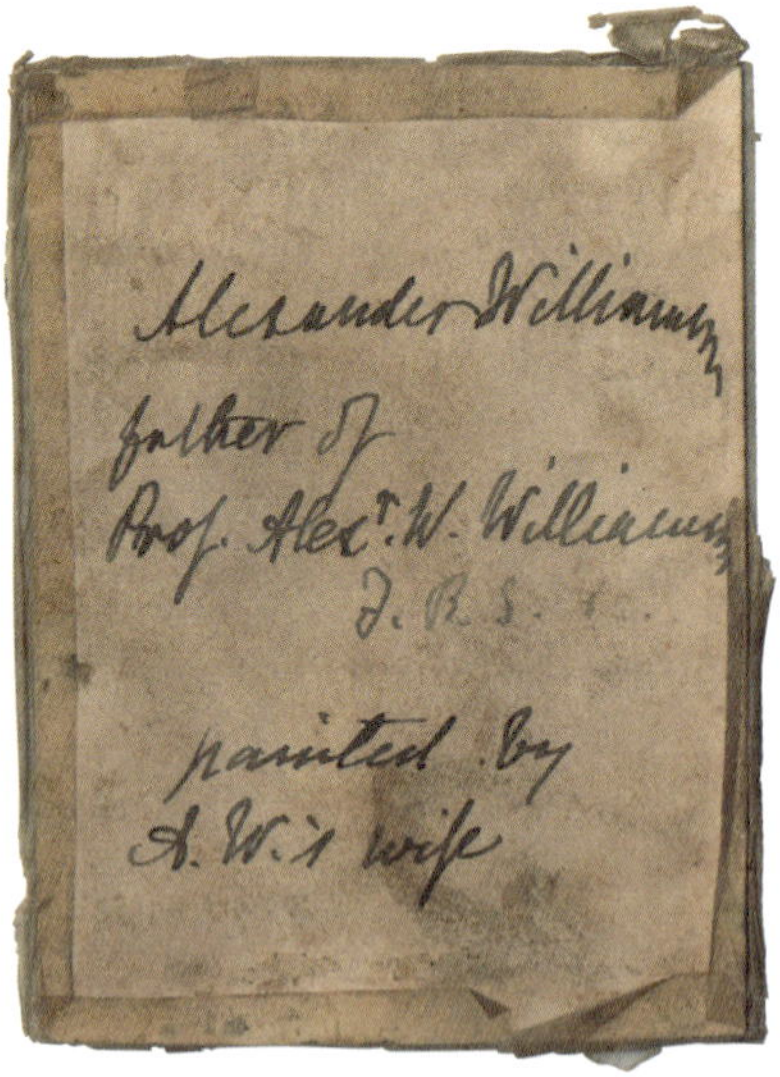

アレキサンダー・ウィリアムソン
Alexander Williamson
1786–1864

裏書きには「Painted by A. W's wife」とあり、妻アントニアが描いたことがわかる。

Williamson Collection / Phoebe Barr

ワンズワースの風景（18世紀中頃）

風車や家畜、人影など、のどかな当時の景色が描かれている。
Getty Images

ワンドル川

現在も川岸に沿って住宅が連なっている。

は強いが、理知的で誰からも愛される魅力的な女性であったという。

ワンズワースで夫婦は二人の子に恵まれた。アントニア・ヘレン（Antonia Helen）とアレキサンダー・ウィリアム（Alexander William）である。姉弟は大変仲がよかった。夫のアレキサンダーは、息子には自分の父と祖父から一つずつ名を採り、娘には妻と妹から一つずつ名を採ると、彼らの一生が幸せに満ちたものであることを妻とともに祈った。

パーク・ゲート・ハウスに響く笑い声

息子ウィリアム（以下、父アレキサンダーと区別するためにこう表記する）が生まれた翌年の一八二五年、アレキサンダーは妻と子どもたちの健康のため、ロンドンから南へ八十キロほど下ったリゾート地として有名なブライトン（Brighton）に土地つきの大きな家を購入した。家族をそこに住まわせて、自分はロンドンから馬車で頻繁に通うという忙しい生活を送った。ブライトンに鉄道が開通したのは一八四一年のことである。

場所は市の中心部から北東方向へ上ったロンドン・ロード沿いの小さな村ルウィス（Lewes）。家はパーク・ゲート・ハウス（Park Gate House）と呼ばれ、現在も瀟洒《しょうしゃ》な佇いを見せている。緑豊かな田園に囲まれ、シンメトリーの外観が美しい典型的なジョージアン様式の家である。

ブライトンに移って間もなくジェイムズ（James）が生まれた。弟ができたことでウィリアムも大変に喜んだ。パーク・ゲートの家ではいつも子どもたちの笑い声が絶えず、アレキサンダーもブライトンへ行くことが楽しみであった。仕事のためであろうか、市内のアランデル・テラス（Arundel Terrace）にもう一軒フラットを購入している。ただひとつ、彼にとって心配なのは、長男ウィリアムの健康状態であった。生まれつき体が弱かったウィリアムはいつも病気がちで、アレキサンダーとアントニアは彼が丈夫に成長してくれることを願った。人間の母乳に近く、滋養分も多く含むといわれたロバのミルクで、ウィリアムはしばらくの間育てられたという。

ウィリアムの症状が最も深刻な形で顕れたのは眼であった。両親も医者も彼の眼病にばかり気をとられ、全体的な健康状態に気づかなかった。そのことがかえって彼の病状を悪化させる原因ともなった。医者が長い間、左腕を包帯で固定していたため、彼は生涯左腕を曲げることができなくなった。全体的な健康増進を図る必要があることにようやく医者が気づいたのは、ウィリアムが十六歳になった時であった。その結果として彼の右目はほとんど見えず、使いものにならなかった。

こうした身体的障害を乗り超えて、ウィリアムが自己の信念から研究者への道を進み得たのも、自らの強い意志や精神力もさることながら、優しい姉ヘレンの励ましがあったからだといわれている。のちにウィリアムが教鞭をとることになったロンドン大学時代の弟子で、物理学の教授となったジョージ・ケアリー・フォスター（George Carey Foster）は、ヘレンについて後年次のように語っている。

彼女は強い性格と知的独立心と、心の大きな優しさとを併《あわ》せ持った素晴らしい人であった。思慮深く辛抱強い博愛の心を、限りなく持った人であった。彼女と高名な弟とを育てた家庭の、道徳的また知的レベルの高さを示す精神性を彼女は持っていた（J. Harris, and W. H. Brock. "From Giessen to Gower Street: Towards a Biography of Alexander William Williamson (1824-1904)"）。

「思慮深い」（well-considered）、「辛抱強い」（untiring in acts）、「博愛の心」（benevolence）といったヘレンの資質は、弟ウィリアムにもそのままあてはまる言葉であろう。

パーク・ゲート・ハウス

かつてアレキサンダーの家族が住んだ家。

アランデル・テラス

上 - アレキサンダーが購入したアランデル・テラスのフラット。
下 - フラットの眼前に広がるブライトンの海。

ユニヴァーシティ・カレッジの創設

一八三一年、アレキサンダーは、家族をロンドンに呼び戻すと、ケンジントンのライツ・レイン（Wright's Lane）に大きな庭つきの家を購入した。ケンジントン公園の南側に位置し、ケンジントン・パレスにも歩いて七、八分の距離にある閑静な住宅街であった。近くにアレキサンダーが敬慕してやまないジェイムズ・ミルの一家が住んでいたことも、この家に越してきた大きな理由の一つであった。

ライツ・レインに居を定める五年前の一八二六年、ジェイムズ・ミルたち哲学的急進派が計画していたある大きな教育事業に、アレキサンダーは積極的な支援を申し出た。彼らがロンドン市内に設立する予定の大学への出資である。

大学創設の発端は、ベンサム主義を信奉するグラスゴー出身の詩人トーマス・キャンベル（Thomas Campbell）が、同志の政治家ヘンリー・ブルーム卿（Henry Brougham）に対して、中流階級のために「教養教育と科学」（liberal arts and sciences）を中核に据えた「有効的で多種多様」（effectively and multifariously）な高等教育機関をロンドンに創設する必要がある、と訴えたことに由来する。ウィッグ党の機関紙『エディンバラ評論』の創刊にかかわった一人でもあるブルーム卿は、早速活動を開始。各方面の自由主義者、功利主義者たち同志に働きかけ資金を募った（Negley Harte, and John North. *The World of UCL, 1828-1990*）。

ジェイムズ・ミルも創設委員となって資金集めに奔走した。これを知ったアレキサンダーも、友人のよしみとミルの教育思想に対する共感から協力を惜しまなかったというわけである。

こうしてロンドン大学（University of London）の設立準備資金は順調に集まり、一八二七年四月三十日、建設予定地であるガワー・ストリート（Gower Street）に礎石を置くセレモニーが実施されて本格的な工事が始まった。建物は一年半の歳月をかけて完成。一八二八年十月一日、いよいよ大学における授業が始まった。ロンドン大学は、中流ブルジョア階級や非国教徒たちの要望に応え、功利主義思想家や自由主義教育者たちが中心となって設立した大学である。これまでのオックスフォードやケンブリッジ等の古典的な大学とは異なり、宗教上の理由によって就学の差別をしない無宗教性と、当時の科学主義の風潮に即応して、実践的な科学・技術の教育を施す点にその特色があった。まさに十九世紀産業革命後のヨーロッパ文明世界を象徴する「進歩」と「科学・技術」の世紀にふさわしい大学であった。

その後、国教会系のキングズ・カレッジ（King's College）の創設にともない、名称をユニヴァーシティ・カレッジ（University College）と改め、一八三六年には、キングズ・カレッジと共にロンドン大学の一構成カレッジ（英国では「大学」は各カレッジの集合体としての総称）となり、英国における近代的高等教育機関の一翼を担うことになる。

ジェイムズ・ミル
James Mill
1773-1836

創設時のロンドン大学（1828年）

UCL Library Services, Special Collections

ユニヴァーシティ・カレッジ・ロンドン

創設時の姿を現在に留める学舎。

撮影：佐藤暢隆

アレキサンダーはミルの家をしばしば訪れては、宗教的、社会的、教育的な問題に関して議論を交わした。のちに十九世紀最大の功利主義思想家といわれたジョン・スチュアート・ミル（John Stuart Mill）も、父であるジェイムズ・ミルのもとで勉学に励んでいた。J・S・ミルはすでに二十歳をすぎた天才的な哲学青年で、父と同じ東インド会社に書記として勤めるかたわら、『エディンバラ評論』などに論文を発表し、哲学的急進派の知識人たちの注目を集めていた。

ミル青年とも懇意となったアレキサンダーは、息子の教育について彼からも大いにアドバイスを受けたものと思われる。一八三三年に次男のジェイムズを病気で亡くしたアレキサンダーにとって、自分のめざす教育への期待は自然と長男のウィリアムへ向かわざるを得なかった。この時から六十年後の一八八七年、ウィリアムは当時をふり返って、こう語っている。

子どもの頃、私はどこか北の方の広場を父と歩いていた。今はゴードン・スクウェアとなっている所だ。とても高い柵があって、私の背丈はそれに及ばないくらいの小さい頃だった。ドームのある建物がその柵の間から見えていた。「あれがロンドン大学だ。大きくなったら、お前はあそこへ行って学問をするんだよ」と言われた。父はそれを創るのに資金を提供した一人であった。父はその当時、その望みがどれほど完璧に実現されるか知らなかった。なぜなら、私はこの大学でずっと、その真の意味での、学究の徒であり続けたからだ。私の研究者としてのキャリアは、そこで実験化学の教授となることから始まったのである（J. Harris, and W. H. Brock, op. cit.）。

一八三一年、アレキサンダーが家族をロンドンへ呼び寄せたのも、あるいは息子のウィリアムが学齢期を迎えたことに起因するかも知れない。ウィリアムがケンジントンのグラマー・スクールに通い始めて間もなくの一八三八年、アレキサンダーは東インド会社を突然退職した。五十二歳であった。あるいは、師とも兄とも仰ぐジェイムズ・ミルが二年前の一八三六年に死去したことに原因があったのかも知れない。その息子で、フランスのパリで暮らしたことがあるJ・S・ミルから、この時フランス行きを勧められたアレキサンダーは、家族をともないパリへと旅立つ決心をする。

J・S・ミルはこの頃、フランスのサン・シモン派の歴史哲学や社会主義、さらにはオーギュスト・コント（Auguste Comte）の実証主義哲学などに傾倒し、特にコントの著した『実証哲学講義』第二巻（一八三五年刊）に接し、大きな影響を受けたといわれる。コントはもともとは数学者であったが、フランス革命後の市民社会の危機の克服をめざして、実証的精神の優位を提唱、いわゆる「社会学」を創始した。また、教育にも深い関心を寄せ、実証主義的教育および教育組織を政治的・社会的再組織のための有力な手段と考えていた。このコントの思想は、のちにアレキサンダーの息子ウィリアムにも大きな影響を与えることとなる。

ジョン・スチュアート・ミル
John Stuart Mill
1806-1873

オーギュスト・コント
Auguste Comte
1798-1857

ハイデルベルグ大学で生まれた夢

ウィリアムソン一家は、さらにパリからフランス南東部の町ディジョン（Dijon）の近くに移り、ウィリアムはそこの大学（college）に通うこととなる。その後、彼はドイツ語を勉強するために、冬の間、ディジョンから四百キロ以上離れたドイツの古い都市ヴィースバーデン（Wiesbaden）で過ごすようになる。ヴィースバーデンは気候が温暖で、温泉保養地としても有名であった。このドイツ滞在を機会に、彼のドイツ語は格段に上達、同時に化学者への道を模索し始めたと考えられる。

ウィリアムがヴィースバーデンの南に位置するハイデルベルグの大学に入ったのは一八四〇年、十六歳の時であった。

ハイデルベルグ大学は、一三八六年に創設されたドイツ最古の大学で、十六世紀の宗教改革時代には人文主義的な高等教育機関として名を馳せたが、一時期閉鎖の危機に瀕し、一八〇三年にバーデン領に合併されたあと、再び名声を博すようになった。哲学者のヴィンデルバントやヘーゲルの出身大学としても有名である。

ウィリアムがハイデルベルグ大学に入ったのは、当初父の希望に沿う形で医者になるためであった。そのため、彼は入学すると、フリードリヒ・ティーデマン（Friedrich Tiedemann）の解剖学とレオポルド・グメリン（Leopold Gmelin）の化学の講義を取ることにした。だが、ティーデマンの陳腐な授業に飽き足りない思いをしたウィリアムは、しだいにグメリンの授業に多くの興味を抱き始める。何よりもグメリンの化学の授業は、彼が研究室で行う補助的な実験授業に特徴があった。実験に興味を持ったウィリアムは、たびたびグメリンの研究室に顔を出すようになる。グメリンは、化学当量の概念を用いて化学理論の体系化を試みた人物で、現在でも肝臓病の診断で使われるグメリン反応にその名を残している。

グメリンはウィリアムを大変親切に指導してくれた。しばらくして、ウィリアムが医学の勉強をやめて化学者への道を進みたい、と正式に申し出た当初、グメリンは猛反対した。理由はウィリアムの身体であった。目と腕のハンディキャップを背負って化学者として成功することは至難の業に等しい、とグメリンはウィリアムに説いた。それでもウィリアムは諦めなかった。これを知った父アレキサンダーも、ウィリアムが化学者になることに強く反対した。アレキサンダーにとって、「化学者」(chemist)という言葉から浮かんでくるイメージは、青や黄色など色とりどりのガラス瓶を通して光輝いている商店のショーウィンドウでしかなかった。

すなわち、「化学者」をアレキサンダーは、薬剤師もしくは薬屋と勘違いしていたのである。確かに薬屋を英国でそう呼ぶことはあった。「化学」という言葉そのものが、一般の英国人には馴染みが薄かった。中世の錬金術からの名残りをとどめる化学を、純正科学の地位にまで高めたのは、英国アイルランド出身の貴族ロバート・ボイル(Robert Boyle)だといわれる。

ボイル以前の化学はまだ「科学」とは考えられていなかった。ボイルはいう。

レオポルド・グメリン
Leopold Gmelin
1788-1853
Wellcome Library, London

化学は今までは医薬を作ったり、工業品を製造したりするためにのみ、その価値を認められていた。しかし吾々《われわれ》の学ばんとする化学は決して医学や薬学の役婦、または工芸、冶金《やきん》の奴僕《ぬぼく》として甘んずる化学ではない。それ自身独立した一部の自然科学として、宇宙の神秘の一方面を開くべき化学、真理を真理そのもののために追い求める化学でなければならない。……そして今やわが姉妹科学の天文学や物理学が覚醒したように、化学もまた厳正な実験的基礎に立脚して、これに忠実に従うことに依って研究の歩を堂々と進むべきである（山岡望『化学史伝』）。

ボイルが「化学の父」といわれる所以《ゆえん》である。ボイルは「王立協会」(Royal Society) の最初の会員であり、創立にかかわった一人であった。ピューリタン革命さ中の一六四五年頃、ロンドンの青年科学者たちによって「見えざる大学」(Invisible College) という研究会が立ち上げられたが、この会が中心となって一六六〇年に正式な学会が組織され、これが二年後に勅許を受けて王立協会と名を改めた。会員をフェロー (fellow) と称し、創立当時の定員は五十五人であった。

一六八〇年、ボイルは王立協会の会長に推されたが、辞退して受けず、レン卿 (Sir Christopher Wren) に席を譲って、十年後の一六九一年、化学の黎明に献げた生涯を閉じた。

話が横道にそれた。

十九世紀になっても英国では、化学者の地位はそれほど高くはなかった。父のアレキサンダーはそのことを心配していたのである。ウィリアムはそうした父の心配をよそに化学の研究へとのめり込んでいく。彼は、ハイデルベルグの家の中に自分の研究室を作り上げると、手に入る化学の本を片端から読破していった。グメリンはウィリアムの化学に対する情熱と彼の才能を的確に見抜く。グメリンは、母親のアントニアに宛てて「御子息は間違いなく化学者となるでしょう」と記した手紙を送り、彼が化学者への道を進むことに理解を示すよう説得した。父アレキサンダーもグメリンの一言で、不承不承ながら息子が化学の研究に進むことを認めた。後年、ウィリアムは、グメリンの想い出を語る時、つねに「私は、あの優れた化学者から特別に、個人的に、親切に、指導を受けるという素晴らしい幸運に恵まれた」と、感謝の言葉を添えることを忘れなかった（J. Harris, and W. H. Brock, op. cit.）。

リービッヒ教授の実験室

ハイデルベルグ大学を卒業したウィリアムは、一八四四年四月、グメリンの勧めもあって化学研究のメッカであるギーセン（Giessen）に赴く。ギーセンは、フランクフルトの北五十キロほどのところにあるヘッセン州の古い街で交通の要所であった。街の中心には一六〇七年創設のギーセン大学があった。大学の名を高からしめたのは、化学教授リービッヒ（Justus von Liebig）の存在であった。二十一歳の若さでギーセン大学の教授となったリービッヒは、多くの学生に実験を通して化学を学ばせるという、全く新しい方法による化学教育を始めた。学生たちは最初に定性分析と定量分析を勉強し、ついで有

ロバート・ボイル
Robert Boyle
1627-1691
Chemical Heritage Foundation

機化合物の合成実験をして最後に研究課題を与えられたという（廣田襄『現代化学史』）。リービッヒは有機化学の分野に新生面を切り拓いた人物であり、彼によって有機化学は急速の進歩をとげることになる。ロバート・ボイルが「化学の父」であれば、まさにリービッヒは「有機化学の父」であった。

ギーセンの化学教室の評判は、ドイツ国内にとどまらず、ヨーロッパや米国など各国へと広がっていった。リービッヒの実験室へ行けば、ドイツの各地方の方言はおろか、ヨーロッパ各国の様々な言葉が飛び交っていたといわれる。当時、化学への関心が薄かった英国でもリービッヒの人気は高かった。

一八三七年、リービッヒが講演旅行で英国を訪れたのがきっかけで、彼の化学改革を採り入れようとする動きがおこる。彼は農業と産業に化学がいかに役立つかを説いたのである。産業革命さ中の英国において、化学が次第に産業ブルジョアたちの注目を惹くようになる。科学教育の振興に熱心であったアルバート公の肝煎で、ロンドンに王立化学大学が設立されたのが一八四五年、初代学長にはリービッヒの高弟アウグスト・ホフマン（August Hofmann）が就任した。

その四年前の一八四一年には、ロンドン大学ユニヴァーシティ・カレッジ化学教授のトーマス・グレアム（Thomas Graham）がロンドン化学会（Chemical Society, London）を設立して英国における化学発展の基礎を築いた。グレアムはスコットランドのグラスゴー出身で、物理学と化学との境界面の開拓者として知られ、気体拡散、溶液中溶質分子の拡散の研究などを経て、コロイドの研究に移り、近代コロイド化学の父と呼ばれる。グレアムがロンドン大学の教授に着任したのは一八三七年、リービッヒが初めて英国を訪れたその年であった。

ウィリアムがギーセンで化学研究の最後の仕上げに取り組んでいた頃、祖国英国の化学界はようやく大きな転機を迎えようとしていた。

英国から若い化学者たちが次々とギーセン大学へやってくるようになった。ウィリアム自身、リービッヒの「快活な態度」(pleasing manner) やその愛情深い人間性に魅せられた一人であったが、後年、ギーセンにおける研究環境を次のように懐し気に語っている。

化学の進展のために、これまで存在したことのないほど有効な組織であった。偉大な天才から教えてもらうことで、生徒の一人ひとりが情熱に火をつけられ、一つの実験研究課題に最高のエネルギーを集中させるといった、そんな小さな集団であった (J. Harris, and W. H. Brock, op. cit.)。

彼はギーセンでは、文学の教授ヒルブラント博士の家に下宿しながら大学に通った。ウィリアムはきわめて生真面目な学生であった。朝六時前には起床し、七時過ぎからの授業には欠かさず出席。楽しみといえば、毎朝の散歩と、時たま仲間と出かけるピクニックやダンスぐらいのものであった。また、彼はとても良い声を持っていたので、仲間と合唱するのが好きであった。ウィリアムは、ギーセンでの学生生活を大いに楽しみながら、数多くの論文を書き上げた。

ギーセンにおける自由な研究環境は、ウィリアムに化学以外の興味深い問題に目を向かせるきっか

ユストゥス・フォン・リービッヒ
Justus von Liebig
1803-1873
Wellcome Library, London

トーマス・グレアム
Thomas Graham
1805-1869
UCL Library Services, Special Collections

旧ハイデルベルグ大学

若きウィリアムは、この大学でグメリンに師事。化学者への志を抱いた。

現在のハイデルベルグ大学

写真提供：Universität Heidelberg

ギーセン大学（1880年）

Justus-Liebig-Universität Gießen

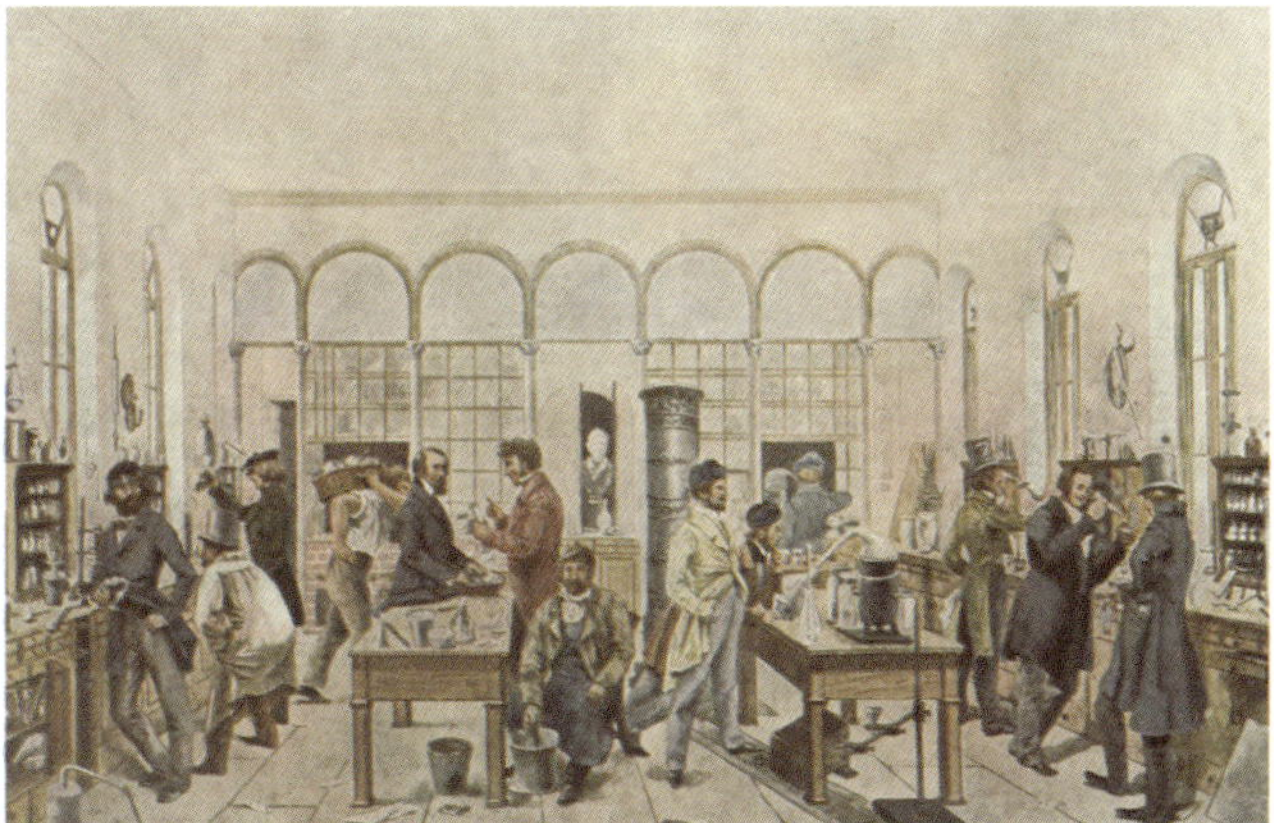

リービッヒの実験室の様子（1840年）

けを与える。それがかつての師であったグメリンの研究領域「ガルバニー電気の理論」への挑戦であった。電流に関する論文で、彼は新しい知見を開拓することに成功し、リービッヒから賞讃を受ける。この論文でウィリアムが学位を取得したのは、一八四五年八月のことであった。

その頃、父アレキサンダーがギーセンにやってきたのも偶然ではなかった。ウィリアムの化学者としての可能性をリービッヒに訊く必要があったからである。リービッヒはアレキサンダーにこう答えたという。

化学について、(ウィリアムの)知識も技術もすでに十分に、他人からの助けなしにどんな研究でも行うことができるようになっている。ただひとつ必要なのは、今の進歩の流れに遅れないように、化学雑誌を読むことである。英国の化学者の大きな欠点は、彼らの学識の狭さにある。彼らは鉱物を分析することはできるが、総合的な科学知識を持たない。化学を他の分野に広く応用することを教えるためには、その総合的な知識が必要なのだ。

そして、さらにこう付け加えた。

しばらく化学の実験に時間を使うことをやめて、来年からは物理、数学、科学技術などできるだけ完璧で根本的な(gründlich)知識を身につけるために時間を使うように(一八四五年七月二十日付ウィリアムの日記　J. Harris, and W. H. Brock, op. cit.)。

リービッヒは父親に総合的な科学知識（general scientific attainments）の必要性と、人間性を高めるための教養教育の重要性を説いたのである。

リービッヒの教えに従って、ウィリアムは一八四五年の夏以降、一時的に化学の実験研究を中止し、数学と物理学と文学の勉強に没頭した。教養を高めるため、彼はヒルブラント教授の「ドイツ文学史」の夕方の講義にも週五回熱心に通い続けた。文学史の講義は彼にとって非常に「有益な一時間」であった。

原子論研究への第一歩

ギーセンで充実した二年間を過ごしたウィリアムが、次に向かった先はフランスのパリであった。幼少の時からウィリアムに接し、彼の才能を見抜いていたJ・S・ミルが、高等数学を究めるにはフランスのオーギュスト・コントのもとで学ぶのが一番だ、と勧めたからにほかならない。

一八四六年八月、パリに着いたウィリアムは、サン・ミッシェル大通り（Boulevard Saint-Michel）に近い、フラン・ブルジョワ街八番地（8 Rue des Francs-Bourgeois）に居を定めると、早速ムッシュー・ル・プランス街一〇番地（10 Rue Monsieur-le-Prince）にオーギュスト・コントを訪ねた。コントは、一八四二年に『実証哲学講義』全六巻を完成、さらに四四年には『実証精神論』を発表し、彼の名声は日に日に高まりつつあった。しかし、当時、コントは愛人クロティルド・ド・ヴォーの死に直面し、彼自身大きな思想的転換期にさしかかっていた。翌一八四七年、彼女の死をきっかけにコントがいわゆる「人類教」を説き始めたことはよく知られている。

コントは科学を六つの基礎的科学に分類し、それらに上下関係（hierarchie）をつけた。上から数学、天文学、物理学、化学、生物学、社会学の順である。数学が最初に位置づけられているのは、その対象が最も抽象的で一般的な科学であり、同時に精密性に達することが最も容易であるという理由による。コントはこれら諸科学は人間精神の活動とその産物に他ならず、それぞれ神学的、形而上学的、実証的な段階を経て進歩するものだと考える。したがって社会学の体系化は、彼にとって時代そのものを実証的段階へ高めるための大事業として捉えられていた。

ウィリアムは、週三回定期的にコントから数学の授業を受け、プランス街のコントのアパートを頻繁に訪れては彼の弟子たちとともに談論に明け暮れることが多くなった。こうして、ウィリアムはコントの実証主義哲学から多くを学ぶと同時に、自身の化学研究とその教育観に彼の思想を反映させたいと思い始めるのである。

ウィリアムはパリの自宅に実験室を作り、そこでアミドの直接的な酸化によって尿素と炭酸を造ることに成功。研究の成果は一八四七年、ヴェニスのイタリア科学学会で発表された。また、パリにおいてボルドー大学のローラン（Auguste Laurent）やモンペリエ大学のジェラール（Charles Frédéric Gerhardt）といった有機化学研究の大家に出会えたことも、ウィリアムにとって生涯最良の喜びであった。ローランもジェラールも、当時の化学構造式で大きな課題とされていた原子量、分子量の問題に真正面から取り組み、解決への道を探っていたからである。ウィリアムが原子論研究へと進む一歩がここから始まった。

ウィリアムは友人への手紙の中でこう述べている。

私は大規模な研究に従事しているところで、その目的は、基本的ではあるがはっきりしない化学上の現象のいくつかを明確にすることにある（to elucidate some obscure, though fundamental chemical phenomena）。そして、それに対する私の見解は、これまでの勉学のおかげで思いついたもので、そこから徐々に形成されたものだ（J. Harris, and W. H. Brock, op. cit.）。

「基本的ではあるがはっきりしない化学上の現象」が何であるか、ここでは明確に述べられていないが、あるいはこれから彼が取り組もうとしていた、「隣り合う分子間の原子の交換」(the interchange of atoms among neighbouring molecules) に関する問題であったのかも知れない。当時の化学界では、分子は物質の種類を決定し、原子は従来の元素の成り立ちを説明するものであるという、ドルトン (John Dalton) の静的原子説が基礎学説となっていた。しかし、多くの化学者たちにとって原子が実在するかどうかは、実験的に検証できなかった問題であり、その存在を否定する者もいたが、ウィリアムは原子存在説の積極的な肯定論者のひとりであった。

実証哲学的思考の萌芽

ウィリアムがパリに滞在していたさ中の一八四八年二月、いわゆる二月革命が起こり、ルイ・フィリップの七月王政は崩壊し、第二共和政が成立した。

一八四六年から四七年にかけてヨーロッパ全体を覆った経済恐慌は農民や市民の生活を脅かし、小企業家や職人、労働者や学生たちの中に次第に反政府的な動きが高まり始めた。「空想的社会主義」の域を脱していない社会主義者、共和主義者たちも彼らの動きを煽った。二月二十二日、彼らが計画した「改革宴会」を政府が禁止したことをきっかけに、パリの民衆は一斉に蜂起、市内各所にバリケードを築いた。鎮圧にあたるはずであった国民軍も民衆側に合流した。二十四日朝には市庁舎やテュイルリ宮が民衆の手に落ち、国王ルイ・フィリップは英国へ亡命、デュポン・ド・ルールを首班とする臨時政府が成立した。ついで政府は二十七日、「唯一にして不可分なる共和国」を宣言、ここに第二共和政が成立したのである。

それからしばらくの間は、パリ市民は開放感に酔いしれ、自由を謳歌していた。しかし、時が経つにつれて、共和政府に対する労働者を中心とした民衆の不満が募り、六月二十三日から二十六日にかけて労働者たちの暴動事件が勃発する。六月事件である。多くの労働者たちが政府軍によって銃殺もしくは逮捕された。

かつてのロマン主義の香りに彩られたパリは消滅し、多くの建物や広場が廃墟と化した。劇場は閉鎖され、芸術家は落ちぶれた。音楽家ベルリオーズは嘆く。「芸術の花はふみにじられ、投げすてられ、廃墟のようになったフランスのなかで、一人の芸術家がどうして生きてゆけるか。わたしはそれを見ようとしている」（井上幸治『ブルジョワの世紀』）。

バルビゾン派といわれるミレーやコローらの写実主義の風景画も、実証主義の教養をもとに写実主義の小説を確立したフロベールや人間を主題にすえたバルザックらの文学も、そしてコントの実証主義哲学や社会学も、こうしたフランスの混沌とした時代背景の中から生まれたのである。

いずれの人々も、社会を有機的に再組織しなければならないとする、大きな危機感を抱いていたのである。

こうした実証主義的、現実主義的な思潮の流れの中に身を置いてパリで学生生活を送っていたウィリアムにとって、その精神論や数学理論も含めて、コントの実証哲学的な思考法から受けた影響は計り知れないものがあった。ウィリアムは父に宛てて書く。

私の実際の体験だけでは、コントの優れた実力が、その授業料に見合う価値があるとあなたに証明するに十分ではないとしても、ジョン・ミルの「私は科学教育の最終課程は、ヨーロッパの誰よりもコントに任せたい」という言葉は、核心を突いていると思う（J. Harris, and W. H. Brock, op. cit.）。

ユニヴァーシティ・カレッジへ

ウィリアムがパリに暮らして三年が過ぎようとしていた一八四九年の初め、ロンドン大学のトーマス・グレアムがパリにやってきて、ウィリアムと会う機会を持った。ウィリアム二十五歳の時である。有機化学の分野で、ウィリアムの名は若いながらも才能ある男として、それなりに知られる存在となっていた。

この時、グレアムは、自分の所属するロンドン大学ユニヴァーシティ・カレッジの分析化学ならびに実験化学の教授職（the Professorship of Analytical and Practical Chemistry）に立候補しないか、とウィリアムに強く勧めた。この地位は、一八四五年から講座を担当していたジョージ・ファウンズ（George Fownes）が四九年に若くして死去して以来、空席となっていたからである。

グレアムの勧めにウィリアムはいたく感謝した。グレアムが一時期、ウィリアムのオゾン説に批判的な意見を持っていたため、自分にとって敵対する人物かと考えていたからである。

早速ウィリアムは、四月二十六日付でユニヴァーシティ・カレッジ評議員会に対して教授職への立候補を正式に申し出た。提出した文書の中で彼はいう。

このパリの実験室で、私はアミドの直接的な酸化によって尿素と炭酸を造り出すことに成功し、それを一八四七年にヴェニスの学会で発表した。私はここパリの人たちが持っている組織的で総合的な科学（systematizing and generalizing science）の特質を学ぶことができた。私は授業において、それを公教育に有効に活用できるものと信じている（Letter from Alexander W. Williamson to the Council of University College. Paris, 26 April 1849）。

大変な自信である。しかも、手紙の最後には、自分をよく知る著名な化学者たちの推薦状をできるだけ早く送ると記されてあった。言葉どおり、五月の初めから中頃にかけて、ドイツ、フランス、イタリア各地の化学者たちの推薦状が次々と送られてきた。その数は、リービッヒ、デュマ、ジェラール、コップ、コント、グメリン、ローラン、レグノー、ペルーズ、ホフマンなど十七通の多きにのぼった。リービッヒの推薦状には次のようにあった。

勤勉、科学に対する純粋で温かい愛情、非凡な才能、人間としての温和ですぐれた美点を有した資質によって、彼は私の特別な評価を得ている。ここに滞在中、彼は実験室の生徒であり、そこで彼は実験化学の教師にとっての必要条件のすべてにわたって完璧に習得した。……ウィリアムソン博士は、物理学と数学の深い学識において他を抜きん出ており、のちに学んだ哲学研究によって、さらに教師として持つべき最も大切な必要条件を獲得したといえる（Testimonial by Dr. Justus Liebig on behalf of the Council of University College. Giessen, 1 May 1849）。

リービッヒのこの最大級の讃辞は、ユニヴァーシティ・カレッジの評議員たちを納得させるに十分すぎるほどであった。四人の候補者のうち、最後に残ったのはパーシィ博士（Dr. Percy）とウィリアムであったが、六月十六日、評議員会は、彼の身体上のハンディをも考慮した上で、満場一致でウィリアムを新たな教授に選んだ。

ウィリアムが勇躍、パリからロンドンに戻ったのは六月二十五日。その一週間前の六月十八日付で、彼は評議員会から教授職に選任された旨の正式な通知を受け取っていた。二十五日付で彼は評議員会の書記アトキンソンに宛てて、「自分に対する信頼を裏切らないよう努力すべく、これから勤務に就く準備をしたい」と、率直な喜びに満ちた手紙を認《したた》めている（Letter from Alexander W. Williamson to Charles C. Atkinson. London, 25 June 1849）。アトキンソンは、一八三五年以来、長きにわたって評議員会の書記（secretary）を勤めていた人物である。

ウィリアムは、これから始まろうとしている、ロンドン大学ユニヴァーシティ・カレッジでの新しい未来に向けて、湧き上ってくる熱い想いにしばらく浸っていたかった。幼い頃に聞かされた父アレキサンダーの「望み」が、まさに「完璧に」実現されることになったからである。

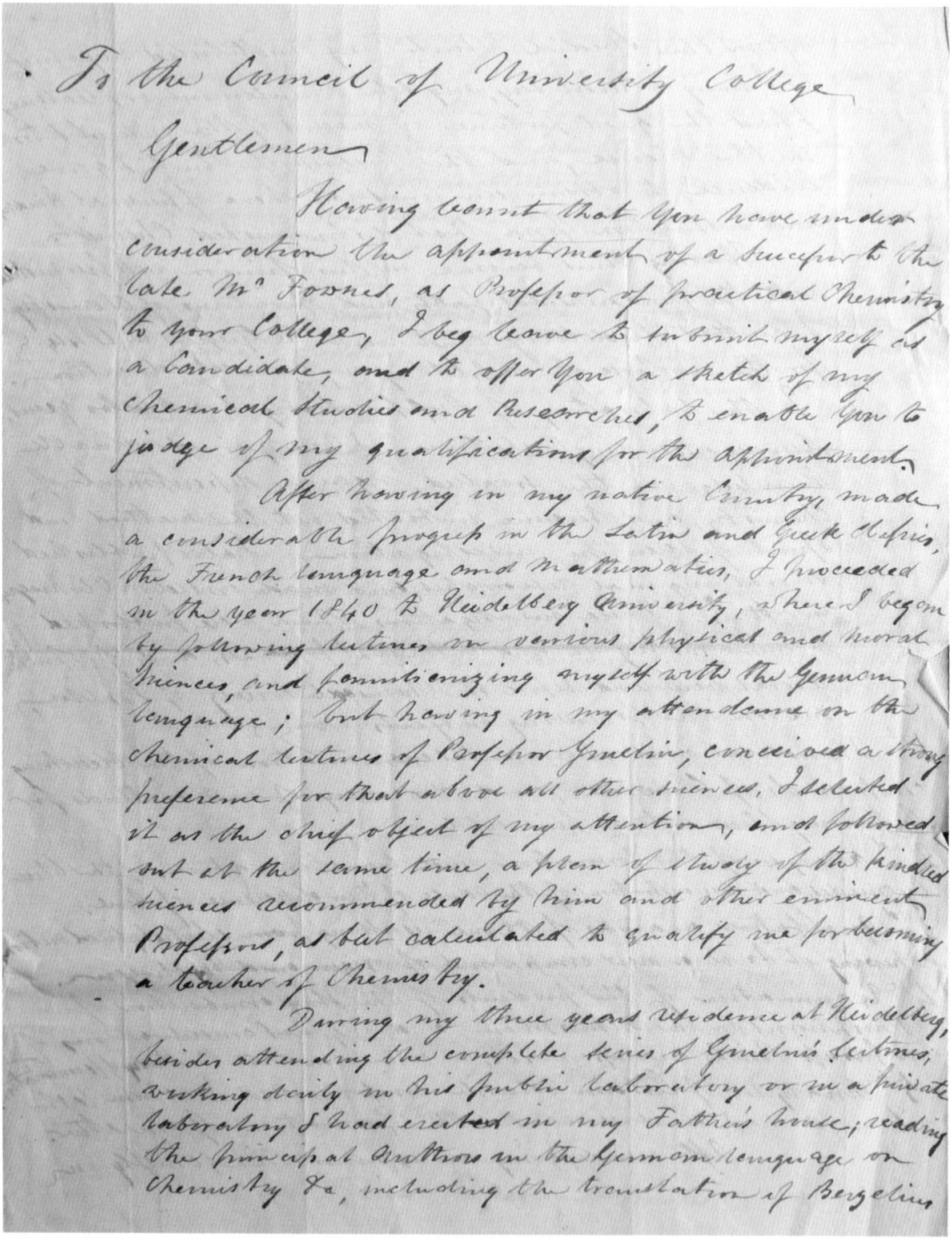

To the Council of University College

Gentlemen

Having learnt that You have under consideration the appointment of a Successor to the late Mr Fownes, as Professor of practical Chemistry to your College, I beg leave to submit myself as a Candidate, and to offer You a sketch of my Chemical Studies and Researches, to enable You to judge of my qualifications for the appointment.

After having in my native Country, made a considerable progress in the Latin and Greek classics, the French language and Mathematics, I proceeded in the year 1840 to Heidelberg University, where I began by following lectures on various physical and moral sciences, and familiarizing myself with the German language; but having in my attendance on the chemical lectures of Professor Gmelin, conceived a strong preference for that above all other sciences, I selected it as the chief object of my attention, and followed out at the same time, a plan of study of the kindred sciences recommended by him and other eminent Professors, as best calculated to qualify me for becoming a teacher of Chemistry.

During my three years residence at Heidelberg, besides attending the complete series of Gmelin's lectures, working daily in his public laboratory or in a private laboratory I had erected in my Father's house; reading the principal Authors in the German language on Chemistry &c, including the translation of Berzelius

ウィリアム直筆の手紙 ー1

ユニヴァーシティ・カレッジ評議員会宛（1849年4月26日付）。
この中で教授職への立候補の意志が表明されている。

UCL Library Services, Special Collections

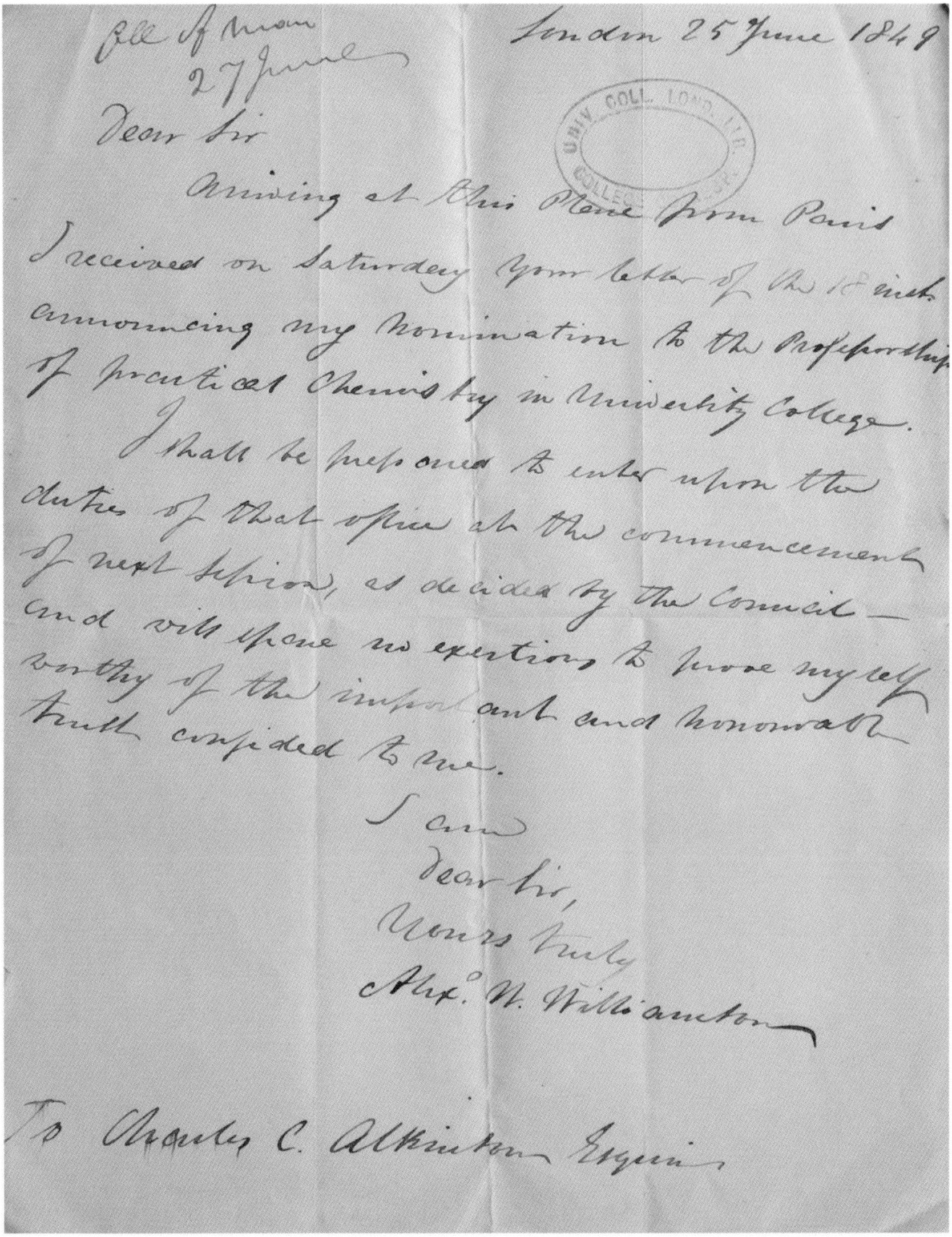
27 June

London 25 June 1849

Dear Sir

Arriving at this place from Paris I received on Saturday your letter of the 18 inst. announcing my nomination to the Professorship of practical Chemistry in University College.

I shall be prepared to enter upon the duties of that office at the commencement of next session, as decided by the Council — and will spare no exertions to prove myself worthy of the important and honourable trust confided to me.

I am
Dear Sir,
Yours truly
Alexr. W. Williamson

To Charles C. Atkinson Esquire

ウィリアム直筆の手紙 ー2

チャールズ・アトキンソン宛（1849年6月25日付）。

教授に選任された喜びと決意が認められている。

UCL Library Services, Special Collections

ゴードン・スクウェア

幼いウィリアムが父と共に垣間見たロンドン大学のドーム。

第二章　バークベック実験室

Chapter 2

Birkbeck Laboratory at University College London

ウィリアムは、まだ二月革命の余燼《よじん》が残るパリをあとにして、懐かしいロンドンの街に戻った。およそ三年余りをパリで過ごしたウィリアムの目に、ロンドンの街は豊かに見えた。ヴィクトリア女王の治世十年ほどを経たこの時期、英国経済はまさに黄金時代を迎え、世界経済の覇者としてその栄華を謳歌していた。

「鉄と石炭の時代」、あるいは「鉄道の時代」とも呼ばれ、これまでにない規模で都市の工業化が進み、全国にわたって鉄道の網が張りめぐらされ、産業ブルジョアを中心に新しい中流階級が社会で活躍を始めていた。

ロンドンでは、二年後にハイド・パークで開かれる万国博覧会の話題で持ち切りであった。会場には科学の粋を集めた最新技術による工業製品が数多く展示される予定であったし、博覧会の総裁は科学の推進を提唱するヴィクトリア女王の夫君アルバート殿下でもあった。

ロンドンを取り巻くこうした「進歩と繁栄」の空気は、二十五歳の青年ウィリアムの心をいやが上にも弾ませたはずである。

ウィリアムは、とりあえずハムステッド・ロードのホールズ・プレイス一五番地（15 Holles Place, Hampstead Road）の家に落ち着くことにした。ユニヴァーシティ・カレッジにも近く、ユーストン駅が目と鼻の先にあって、どこに行くにも便利であった。

カレッジでは法文学部（the Faculty of Arts and Laws）に属し、予定どおり、分析化学（Analytical Chemistry）と実験化学（Practical Chemistry）を担当する教授職に就いた。初講義は十月からであった。ウィリアムの研究と授業は主としてバークベック実験室（the Birkbeck Laboratory）と呼ばれる化学実習室で行われた。ユニヴァーシティ・カレッジの創立メンバーのひとりで、物理学者で医者でもあったジョージ・バークベック博士（Dr. George Birkbeck）を記念して、一八四六年に開設された最新設備を誇る実験室である。一般化学の講義と並行して、この実験室授業を受けることにより、化学を産業技術、冶金、医学あるいは農業などに応用する能力を養うことができた。これは純粋化学や物理学などの科学の基本教科を組織的に学びながら、一般的な化学分析を実際に訓練することで技術や応用力を養おうという、ヴィクトリア中期における中流階級の教育観を見事に具現したものであった（Yoshiyuki Kikuchi. "Samurai Chemists, Charles Graham and Alexander William Williamson at University College London, 1863-1872."）。

バークベックは、グラスゴーのアンダーソニアン大学（のちアンダーソンズ大学）で物理学の教授を勤めていた時、高度な科学知識を身につけたいと熱望していた熟練工たちの求めに応じて、労働者たちが低料金で授業を受けることのできる講座を開設したことがあった。この先駆的な教育事業は、一八二三年、ロンドン職工学校（the London Mechanics' Institute）の設立へと発展し、科学を労働者階級や一般大衆へ浸透させるうえで大変大きな役割を果たした。ロンドン職工学校は、のちにロンドン大学の一構成カレッジとなり、バークベック・カレッジと呼ばれるようになる。

こうした意味において、バークベック実験室は、科学の大衆化をめざすバークベック自身の教育観を体現するに最もふさわしい施設であったといえよう。

教育者としての資質

この実験室での講義に先だって、十月十六日、法文学部において、ウィリアムの就任講義が行われた。演題は「相違の発展、調和の基礎」（"Development of Difference, the Basis of Unity"）。ユニークな題名に多くの人間が関心を示したが、内容的には期待はずれであったらしい（J. Harris, and W. H. Brock, op. cit.）。彼の意図は、ヨーロッパ人の知的、社会的発展について、進歩の概念を使って述べつつ、個人や国家の

ヴィクトリア女王

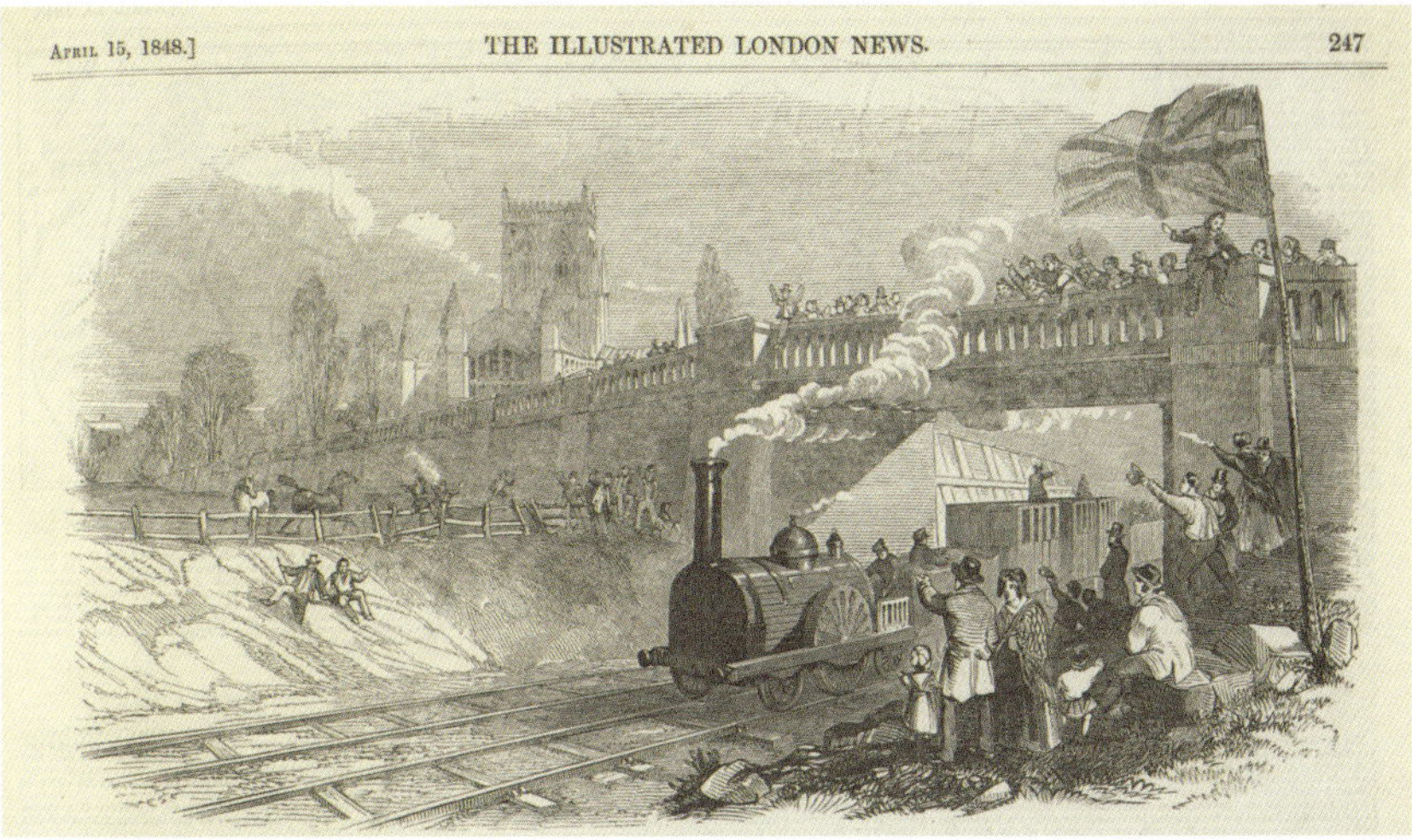
April 15, 1848.] THE ILLUSTRATED LONDON NEWS. 247

鉄道の開通を喜ぶ人々

産業革命によって到来した
鉄と石炭の時代

of the
equires
ne pre-
. The
d more
ich an

of his
ed the
Upon

The roof of the University College Laboratory is upheld by principals of cast iron, of graceful form and decorative character, and the light is thrown directly down upon the desks by a double range of skylights. The ceiling is boarded, and stained in imitation of oak; and the whole of the floor throughout, except immediately in front of the furnaces and stoves, is of wood. The Professor's Laboratory has, also, its sand-bath, sink, and other conveniences. The Furnace Room is fitted with furnaces calculated for melting metals: the flues of these, as as well of all the other fire-places, are constructed with Moon's patent bricks, which produce so ready a draft as to carry off the vapour at once with great energy, although neither of the flues rise to any

the eastern window. It was a small living of £.00 per annum, and under the control of the hospital above-named. As one of the few picturesque remnants of old times, which the march of bricks and mortar had spared to us, it was peculiarly interesting; although this simple way-side Chapel looked sadly out of place among the rows of new houses, squares, and streets which took the ground of the orchards and fields once in its immediate vicinity; till, having really ceased to be useful in so large a neighbourhood, the hand of modern improvement has been fatally raised against it. A record of the appearance of so quaint a relic is, however, well worth preservation; and will, no doubt, be acceptable to our readers.

THE NEW LABORATORY, AT UNIVERSITY COLLEGE.

ジョージ・バークベック
George Birkbeck
1776–1841

Reproduced by kind permission of
Birkbeck, University of London

Christianity they renounced. He seldom speaks, not becau
preparation, for we have heard him reply with great effect;
fers to treat questions in which some principle of importan
little discussions, he leaves to smaller men, of whom there
than enough. But, when he does address the House, no o
impression, with the exception, perhaps, of Sheil.
Macaulay's denunciation is always most powerful; the co
speeches last session, on the Scotch University Tests, in w
vacillation of the Government on that subject, was absol

バークベック実験室（1846年）

持つ多様な文化を調和させてこそ文明は発展するものだ、と説明する点にあった。ウィリアムとしては、いわばユニヴァーシティ・カレッジの教学理念に重ね合わせて、自らの理念「異質の調和」（Unity out of difference）を、改めて強調したかったに違いない。

講義に研究にとウィリアムの活躍が始まる。当時の颯爽とした彼の様子を、教え子の一人ティルデン（Tilden）が次のように回想している。

背が高く、痩身で、姿勢がよく、いつもグレーのズボン、フロックコート、髪と髭もグレーできちんと統一し、狭い学問分野に閉じこもる人々のそれとは際立った違いを感じさせた。

さらに、ウィリアムの授業のやり方についてこう述べる。

彼は素晴らしい教師だった。いつも実験室にいて、一人ひとりの学生に声をかけては、彼らの研究に対する関心をかきたて、継続するように励まし指導し、さらに助言が必要な時にはいつでも応じられるように準備していた。……彼はつねづね、「自分が何をやりたいかがはっきりわかっていれば、必ず方法は見つかるものだ」（What you want to do, there is always a way of doing it.）と言っていた（J. Harris, and W. H. Brock, op. cit.）。

ウィリアムは学生たちに対して、自分自身でやりたい研究対象を見つけ出して、新しい方法でそれに忍耐強くぶつかっていくことを求めた。この論法は彼の信念であり、自らの研究に対する姿勢も、学生への指導についても生涯変わることはなかった。

理論化学教授のトーマス・グレアムが休講の時にはウィリアムが「化学概論」(General Chemistry)を代講したが、その時には多くの学生が彼を拍手喝采で出迎えたと、高弟のフォスターはいう。というのも、彼らにとって、ウィリアムの論法と投げかける光は、最も陳腐な主題にも新しい関心を引き出してくれるように感じられたからだと語っている(G. Carey Foster. "Obituary." 1905)。

「エーテル化理論」

彼はバークベック実験室で学生を指導する一方、毎日のように夜遅くまで自らの研究に没頭した。研究の成果は、有名な「エーテル化理論」(the theory of etherification)を生み出し、一八五〇年八月三日にエディンバラで開かれた英国協会(the British Association)の発表論文として出版された。これはその後、同年十一月の『哲学雑誌』(*Philosophical Magazine*)に掲載され、二年後には詳細なものが『化学協会季刊誌』(*Quarterly Journal of the Chemical Society*)に発表された。

ウィリアムは、これまでのようなエーテルがアルコールの脱水によって形成されるという理論から離れ、全く別の考え方をした。すなわち同族の度数の高いアルコールを生成する方法を開発することでエーテルができないかと考えた。アルコールとエーテルの関係が脱水や親水ではなく、二基のエチル基〈C_2H_5〉を持ち、アルコールと同量の酸素を含んだものがエーテルであるとした。話は専門的になるが、アルコールからエーテルができるのは、水の要素が失われるからではなく、水素原子の代わりに〈C_2H_5 基〉というグループを入れ換えることによってであることを証明した。つまり、エーテルなるものはアルコール〈$C_2H_5{\cdot}OH$〉の水酸基〈OH〉の〈H〉をエチル基〈C_2H_5〉で置換したものに他ならない〈$C_2H_5{\cdot}O{\cdot}C_2H_5$〉であることを発見したのである(山岡前掲書)。いわゆる「ウィリアムソン合成」（Williamson synthesis）の名で現在でも世界的に知られているエーテル合成法である。

これは、水とエーテルとアルコールの分子は同じ量の酸素を含み、これら三つの物質は、アルコールと同系列であることを証明するものとなった（G. C. Foster, op. cit.）。ここから、彼は従来の触媒作用の概念を完全否定して、触媒反応を「化学的中間体」（chemical intermediates）とする概念を導き出したとされる（J. Harris, and W. H. Brock, op. cit.）。

「原子価理論」の種

ウィリアムの「エーテル化理論」には、もう一つ重要な問題が隠されていた。彼が追究し続けている原子論の問題である。エーテル化のメカニズムは、それを連続的な原子交換として捉えなければ理解できなかったため、ウィリアムは、原子と分子を、これまでドルトンが考えたような静止した微粒子ではなく、動いているものと推論した。いわゆる「動的原子論」（dynamic atomism）である。

こうした考えは、化学と物理学の再融合への道を開いたのみならず、ジェラールらによる有機化学と無機化学の統合研究に大きなヒントを与える誘因となった。

この頃から、英国でも有機化学を専門とする研究者が注目を集め始めた。なかでも、マンチェスターのオーウェンス・カレッジ教授エドワード・フランクランド（Sir Edward Frankland）が一八五二年に提出した学説は学界の注目を浴びた。フランクランドはウィリアムより一つ年下で、ギーセンのリービッヒの許で学んだ仲間であった。

フランクランドは有機金属化合物の研究過程において、「すべての元素同士互いに化合し合う場合に、各々の原子数について一定の規律の守られること」（山岡前掲書）を発見し大きな反響を呼んだ。彼のこの考えは、無機化合物と有機化合物の類似性に着目して生まれたものであった。これは、「まだ明確な原子価の概念ではなかったが、化学式の中で原子を固有な結合力をもったユニットとして取り扱う始まり」（廣田前掲書）であったという。いわば「元素の原子価」説の起源といえよう。

フランクランドの発見したこの法則を活用して、有機構造論の基礎を確立した人物が、ドイツのフリードリヒ・ケクレ（Friedrich August Kekulé von Stradonitz）である。ウィリアムより五歳年少で、ギーセン大学で建築を専攻したにもかかわらず、リービッヒの授業から強烈な影響を受けて化学者への道を選んだ異端の人である。

ケクレは、一八五三年十二月にロンドンにやってきた。セント・バーソロミュー病院でギーセンでの先輩ステンハウス（John Stenhouse）の助手として働くためである。ケクレは、夕方、勤め帰りに同じ先輩にあたるウィリアムをバークベック実験室に訪ね、夜遅くまで話し込むことが多かった。二人の間柄は次第に親密となる。ケクレは、いつもウィリアムについて大きな愛情と尊敬の念をもって語り、彼とのつながりを、自分自身の成長にとって重要な影響をもつものと考えていたようである（J. Harris, and W. H. Brock, op. cit.）。

エドワード・フランクランド
Sir Edward Frankland
1825-1899
Wellcome Library, London

フリードリヒ・ケクレ
Friedrich August Kekulé
von Stradonitz
1829-1896

バークベック実験室の片隅にあるウィリアムの研究室は、次第に「新しい型の理論」（the 'new type theory'）に熱中する若い研究者たちの「溜り場」（rendezvous）となっていった。そこにはケクレがいて、オッドリング（William Odling）がいて、そして時たまローランやジェラールが顔を出すこともあった。新しい「原子価理論」（valency theory）の種は、このウィリアムの小さな研究室の議論の中から生まれたといっても過言ではなかった。

科学者たちに限らず、文学や哲学、美術、政治や経済、ありとあらゆる学問を学ぼうとしていた若者たちにとって、ヴィクトリア中期の英国社会は希望に満ちた存在であった。彼らの目の前には無限の可能性が開けているように感じられた。

クリスタル・パレスの威容

一八五一年五月一日、英国の全国民が待ち望んでいた第一回万国博覧会が、ロンドンのハイド・パークで幕を開けた。造園師のジョーゼフ・パクストン（Joseph Paxton）が設計した全館ガラス張りの大展示館は、その美しい姿、形から水晶宮（クリスタル・パレス）と呼ばれ、ヨーロッパ中の人々から絶賛を博した。出品数は十万点、十月十五日までの会期中の観客数は六百万人を超えた。驚くべき数字であった。

著名な英国の歴史家エイザ・ブリッグズ（Asa Briggs）は、名著『ヴィクトリア朝の人びと』（*Victorian People*）の中でこう記す。

その博覧会の目的は、「全人類の発展が到達した現段階を正しく検証し、その生々しい描写を与えること……およびそこから今後あらゆる国民が一層の努力を行使することのできる新たな出発点を提示すること」にあった。水晶宮は、その人目を引く建物とその中に展示された広範囲にわたる出品物において、人類の進歩を意気揚々と目に見える形で明示した（村岡健次・河村貞枝訳『ヴィクトリア朝の人びと』）。

万国博覧会は、世界の人々に英国の工業製品と産業技術の優秀さを知らしめると同時に、労働の福音と平和の福音の大切さを教える役割をも担った。労働の喜びが、勤勉さが、世界平和につながる、と考えられた。しかし、繁栄の影には貧困があり、一般民衆の生活が楽になったわけではなかった。

博覧会の利益でサウス・ケンジントンの一画には広大な科学博物館や工芸施設が建てられたが、反対に国民の政治への不信感は募っていく。一方、いっそうの工業化を促進する英国政府は、自由貿易政策を掲げて自国の植民地のみならず、アジアや中南米など後進諸国へ向けて製品の販路を拡大しようとしていた。自由貿易帝国主義といわれるものである。

「進歩」と「繁栄」の余波

一八四二年、アヘン戦争で中国に勝利した英国は、香港を獲得し本格的にアジア進出を始める。新しい市場を求めて、多くの英国商人たちが東アジアへ殺到するようになった。ジェイムズ・マセソン（James Matheson）、ウィリアム・ジャーディン（William Jardine）など、のちに日本と密接な関係を持つ人びとも少なくなかった。彼らはインドの綿花やアヘンの輸入増加の波に乗って、しだいにその地位を築き上げていく。それまでの東インド会社に代わる一大勢力になりつつあった。

ロシアとのクリミア戦争さ中の一八五四年十月、英国は日本とも国交を結んだ。日英協約の締結で

クリスタル・パレス（1851年）

クリスタル・パレスの内部

ヴィクトリア女王による第１回万国博覧会の開会宣言。

ある。これで英国は、日本と貿易を始めるための足がかりを得た。香港に拠点を持つジャーディン・マセソン商会（Jardine, Matheson & Co.）が、日本の横浜に支店を置いたのは一八五九年、日英修好通商条約が結ばれた翌年のことである。創業者のウィリアム・ジャーディンはスコットランド出身。もともとは東インド会社の船医であったが、一八四一年に同郷のマセソンと共同でインド・中国間のアヘン貿易と茶貿易に従事する商社を設立した。それが今日まで続く英国の大商社ジャーディン・マセソン商会のそもそもの始まりであった。

英国がロンドン万国博覧会で引き起こした「進歩」と「繁栄」の波は、西欧列強諸国によるアジアの植民地化という危機をともないつつ、確実に極東の小国日本にも打ち寄せていたのである。

新たな時代の幕開け

さて、化学の世界でも新しい発見が相次いだ。中でもウィリアムの親しい友人たちのそれは、その後の有機化学の基盤を支えることにもなる大きな発見であった。一八五三年に発表されたジェラールの「新基型論」、一八五八年に発表されたケクレの「炭素の四原子価説」などである。「有機化学の化学全体への歴史的な寄与は、まずジェラール、ウィリアムソン、ケクレで大体終を告げたといってよい」（久保昌二『化学史——化学理論発展の歴史的背景』）との見解が後世述べられるほど、この三人の有機化学理論の分野における貢献は大きかったといわれている。

とくに、ケクレの新理論が発表された一八五八年は、英国社会にとって大転換期ともいうべき記念すべき年となった。この年、インド統治法が公布され、それまで統治権を握っていた東インド会社は完全に廃止されて、インドは英国の直轄領となり、インド政庁による直接支配が始まった。ウィリアムにとって幼少期から馴れ親しんだ東インド会社の名前が、歴史の舞台から消えたのである。代わりに英国帝国主義の時代が幕を開ける。

こうした帝国主義の時代へと向かう英国社会を支えた理論が、ちょうどこの年発表された博物学者チャールズ・ダーウィン（Charles Robert Darwin）の自然淘汰説であった。これは当時の英国における産業資本主義の根本理念、自由競争による進歩の思想を見事に代弁したものであった。この学説は進化論（the theory of evolution）と呼ばれ、翌年十一月、『種の起源』（*On the Origin of Species*）のタイトルで刊行された。『種の起源』に対して宗教的勢力などから、神への冒瀆とする激しい抗議が起こったことは周知の通りである。

そして、このダーウィンの生物進化論をもとに、「進化」（evolution）の概念を用いて社会組織の体系的な発展を説いた人物が、哲学者ハーバート・スペンサー（Herbert Spencer）であった。スペンサーの社会進化論は、科学の発達と中流階級の社会的進出を背景に、まさに「進歩」（progress）の聖典として英国社会に広く受け容れられていくこととなる。スペンサーが「進歩について――その法則と原因」（"Progress: Its Law and Cause"）を発表したのは一八五七年、コントが貧困のうちにパリで五十九年の生涯を

ハーバート・スペンサー
Herbert Spencer
1820-1903
日本カメラ博物館所蔵

閉じた同じ年であった。コントに代わる新しい社会学者の登場であった。

良き伴侶・エマ

こうした時代の風潮にまるで促されるかのように、ウィリアムはこの頃、本来の理論化学から離れて、産業や日常生活に関連する実用的な応用化学の分野に関心を抱き始めていた。それは、彼自身が生涯の大きな転機に直面していたことと関係があった。

一八五四年の初め、ウィリアムは、エマ・キャサリン・キー（Emma Catherine Key）と婚約する。エマは当時二十三歳（一八三一年六月十八日生）、父はラテン語の権威で英国言語学界の長老的存在であるトーマス・ヒューイット・キー（Thomas Hewitt Key）である。当時、彼はユニヴァーシティ・カレッジの比較文法の教授で、付属スクールの校長も兼任していた。ウィリアムとエマがどのようなきっかけで知り合い、お互い愛し合うようになったのかはわからない。ひとつだけ確かなことは、二人が相思相愛の仲で、生涯を通じて仲睦まじい夫婦であったという事実である。それは、エマが亡くなる十五年ほど前に書かれた遺言書（一九一三年三月七日付）によって確かめることができる。後章で詳しく述べる。この時にウィリアムからエマへ贈られた婚約指輪は、二つのダイヤモンドと三つのエメラルドがちりばめられた豪華で美しいものであった。エマは生涯この指輪を自分の身から片時も離そうとはしなかった。

エマの父キー教授は、ケンブリッジ大学トリニティ・カレッジ（Trinity College）の出身で、歴史家、政治家として有名なトーマス・マコーリー（Thomas Babington Macaulay）を中心とするグループメンバーの一人であった。多芸多才の人で、当初医学を学んだが、のち科学や経済学に興味を持ち、招かれて米国のヴァージニア大学で数学を教えた。帰国して、一八二八年、創立直後のロンドン大学ユニヴァーシティ・カレッジのラテン語教授に就任。三一年から付属スクールの校長を兼ね、四二年からは比較文法の教授となった。

教育熱心な素晴らしい教師で、その講義は聴く者を惹きつけてやまなかった。大胆な意見の持ち主であったにもかかわらず、彼の謙虚で気取らない態度と優しい性格は、その立派な風貌と相まって学生たちを惹きつける魅力のひとつであったという（H. Hale Bellot. *University College London 1826-1926*. London, 1929）。

エマの情熱的で優しい気質は父親譲りであったのかも知れない。

ウィリアムの父アレキサンダーは当初エマとの婚約を認めなかった。自分に相談なしに決めたことに腹を立てたからである。面白くない雰囲気が一年近く続いたあと、父子は和解した。間を取り持ったのは母のアントニアであった。一八五五年五月、アレキサンダーは知人に宛てて、「息子と全面的に和解した。婚約に心から賛成する」との言葉を書き送っている。正式に二人が結婚したのは、翌年八月一日になってからであった。

父との和解から結婚まで一年以上のブランクがあったのは、ウィリアムが大学内における組織改革や人事問題で忙殺されていたためである。

ウィリアムがエマとの婚約問題で父と和解した頃、一八三七年以来長年にわたってユニヴァーシティ・カレッジの化学教授の職にあったトーマス・グレアムが大学を去ることになった。理由は、グレアムが造幣局長に任命されたからである。理論化学の教授職が空席になったことを知ったウィリアムは、現状のままでその職に応募することを決めた。六月七日に王立協会（Royal Society）のフェローに選任されたウィリアムは、およそ三週間後の六月三十日に評議員会へ立候補の願書を提出した

エマ・キャサリン・キー（ウィリアムソン）
Emma Catherine Key (Williamson)
1831–1923

アレキサンダー・ウィリアム・ウィリアムソン
Alexander William Williamson
1824–1904

ウィリアムソン旧蔵アルバムより。婚約当時のウィリアムとエマの写真が並べて収められている。
Williamson Collection / Phoebe Barr

トーマス・ヒューイット・キー
Thomas Hewitt Key
1799–1875

エマの父。エマの遺書にしたがって
ロンドン大学に寄贈された肖像画。
Courtesy of UCL Art Museum

王立協会フェローの群像（1885年）

後列右端がウィリアム。

Wellcome Library, London

（Application for the Chair of Chemistry. 30th June 1855）。実験化学の教授職との兼任は、大学にとって前代未聞のことであった。

実験化学と理論化学の統合を図りたい、というウィリアムの化学教育に対する熱意と野心が彼を突き動かした。評議員会メンバーへの強い働きかけと、ホフマン、ジェラール、ブンゼン、フランクランド、ステンハウスら多くの著名な化学者たちからの推薦状が功を奏して、七月、評議員会は満場一致でウィリアムをグレアムの後任に選んだ。以後一八八七年に退職するまで三十二年間の長きにわたって、彼はこの二つの教授職を兼務することになる。

一方、ウィリアムは家庭用暖炉に関心を持って、ストーブの改良に取り組んだり、船舶用ボイラーの改良を試みたり、薬剤の調合に挑戦してみたり、化学と直接関係のない分野の発明や発見に熱意を示すようにもなった。一見奇抜とも見える彼のこうした行動に、父アレキサンダーは注意を与え、彼の能力のすべてを本来の教授職に捧げるよう助言したという。

こうした行動について、娘のアリス（Alice Maud Fison）は次のような証言を残している。

> 新婚当初、父は生活のために懸命に働かなければならず（そして父も母も化学を勉強する学生たちをできる限り楽しませることが大切だと感じていたので）、父には多分、実験研究に費やす時間もエネルギーも残されていなかったのでしょう。両親が幸せだったことは疑いないことだけれど、母が後年、時々私に言っていたのは、もし父が独身でいたら、独自の素晴らしい研究をしていたことだろうということです（J. Harris, and W. H. Brock, op. cit.）。

アリスの言葉から読み取れるのは、ウィリアムとエマの新婚生活は経済的にあまり恵まれていなかったということであろう。自分自身の研究業績をあげることよりもむしろ、学生に対する研究指導や教育そのものに情熱を傾けるようになったということではないか。また産業や実生活とつながった新しい応用化学の分野を開拓しようとしていたのかも知れない。

いずれにしても、大学で実験化学と理論化学の両分野にまたがった研究指導を行えるようになったことで、ウィリアムの化学教育の幅は大きく広がった。ウィリアムの授業に対する学生の人気はいっそう高まっていく。

一八五六年の秋、ドイツ、スイスそしてフランスへの新婚旅行を終えて帰国したウィリアムとエマは、ヘイバーストック・ヒルのプロヴォスト・ロード一六番地（16 Provost Road, Haverstock Hill）にある小さな家で二人だけの新しい生活を始めた。ウィリアムが独身時代を過ごしたハムステッド・ロードの家から北西へ約一・五キロほど行った、閑静な住宅街にその家はあった。現在もその家は小さいながらも瀟《しょう》洒《しゃ》な佇まいを見せている。

実験化学と理論化学、二つの教授職を完璧にこなすため、ウィリアムはそれぞれの講義を準備するにあたって、多大な労力と経費をかけ、細心の注意を払った。彼にとって大事なのは、何よりも学生たちにわかりやすい講義をすることであった。それには一般化学の教室に新しく助手が必要であった。彼はかつての教え子であったロスコー（Henry Roscoe）に就任を要請した。ロスコーへ依頼する手紙でウィリアムは次のようにいっている。

私の最初の仕事は……あなたに一般化学教室の助手として大学に貢献してくれるように頼むことだ。……私は、学生たちが授業で習うことの中で最も重要なのは、実習することだと思っているが、それがクラス全部に行き届くかどうかが懸念される。この状態は、もちろん改善されなければならないし、学生たちが授業で理解できなかったケースについて、できるだけ対応し、一人ひとりに説明することが望ましい（J. Harris, and W. H. Brock, op. cit.）。

ウィリアムの講義はわかりやすく、とても印象深いものであった。学ぶ意欲の強い学生たちにとって、彼の授業は大変に魅力的であった。時々は工場見学ツアー（industrial tours）にも連れて行ってくれた。彼の授業のやり方は、一般原理を説明してわからせるのではなく、個々の事象を比較し、モデル実験をすることで学生たちが一般原理を理解できるように仕向けることであった。そのため化学変化について説明する時は、いつも機械式のモデルを使ったという。のちには自ら著したテキスト『学生のための化学』（*Chemistry for Students*. 1865）も講義で用いるようになった。この本の序文で、彼は次のように述べる。

この小さな本は、化学の学生たちに対して、科学に関係する最も興味深くかつ有益な諸事実と、そうした諸事実の研究から得られる最も重要な諸々の着想（the most important ideas）について概説したものを提供することを意図している。

本書は、化学を初めて学ぶ若者たちにもわかりやすいように、化学の基礎的な専門用語を統一して記載した点に特徴があり、以後版を重ねた。

プロヴォスト・ロードの家に、ウィリアムは多くの友人や研究者たちを招いた。学生たちもよく顔を見せた。ウィリアムとエマの二人にとって、若い人たちにいつも囲まれていることほど楽しいことはなかった。エマは自然と人を喜ばせる才能に恵まれていた。高い知性に裏付けられた、その優しくチャーミングな人柄に魅せられる者も多かった。ウィリアムはエマという最高の伴侶を得ることによって、さらに未知の世界へ向けて飛び出す勇気と新たな希望とを与えられたのである。

エマ・キャサリン・ウィリアムソン

ウィリアムソン旧蔵アルバムより。エプロンを着たエマの写真。
Williamson Collection / Phoebe Barr

旧ウィリアムソン邸

ウィリアムとエマが新婚時代を過ごしたプロヴォスト・ロードの家。
撮影：佐藤暢隆

プロヴォスト・ロード

撮影：佐藤暢隆

第三章　日本から来た若者たち（一）
―長州の五人―

Chapter 3
Young People from Japan I : The Chōshū Five

一八六三年秋。ロンドン・ドックに一隻のティー・クリッパー（紅茶運搬用の快速帆船）が入港した。十一月四日の朝八時を少しまわった頃である。船の名はペガサス号。荷の積み卸しに忙しく働く船員たちに混じって二人の日本人の姿があった。若者の名を井上聞多《ぶんた》（馨《かおる》・二十八歳）と伊藤俊輔《しゅんすけ》（博文《ひろぶみ》・二十二歳）といった。六月下旬に上海を発って、アフリカの喜望峰まわりで航海に四ヵ月以上かかった辛い旅であった。二人とも水夫同様の扱いをうけた上に、初めての長い船旅で心身ともに疲れ切っていた。

なぜ二人の若者は、そこまで苦労をして極東の果て日本から遠い異国の都ロンドンまでやって来なければならなかったのか。それには当時の日本の国内事情を知る必要があろう。

日本を襲う資本主義の嵐

この頃日本は、政治的にも経済的にもきわめて厳しい混乱状況にあった。いわゆる江戸時代末期、幕末動乱の時代である。一八五三年の黒船来航（米国東インド艦隊司令長官ペリーの浦賀来航）と、それに続く欧米列強諸国との和親条約の締結、一八五八年における欧米五ヵ国との通商条約の調印などによって、日本は二百年以上続いた鎖国の制度を廃止し、名実ともに開国への道を歩み始めた。実質的に国際社会の仲間入りを果たしたわけである。と同時に、資本主義経済の嵐は容赦なく日本を襲う。英国、米国、フランス、ロシアなど欧米列強の国々は、中国などと同じように、日本に対しても強い軍事力を背景に自由貿易を推し進めようとする。開港場である横浜や長崎などには外国人居留地ができ、多くの外国人たちが商売のためにやってきた。

こうした状況の中、国内の政治や経済が混乱をきたしたのは外国人のせいだとして、外国人を追放しようとしたり、斬り殺したりする武士が現れるようになった。「攘夷《じょうい》」である。時が経つにつれて、攘夷の様相は各地で激しさを増していく。とくに天皇は極端な外国人嫌いであったため、そのことが攘夷派の武士たちの動きを助長させた。天皇を尊ぶことと、外国人を追放する行為が結び付いて、「尊《そん》皇攘夷《のうじょうい》」という言葉も生まれた。

しかし、彼らはただ単に外国人たちを嫌っていたわけではない。欧米列強諸国によって日本が植民地化されるのではないか、という大きな危機感を抱いていたのである。こうした危機感を抱いた武士は、おもに西日本の有力な藩に多かった。九州の薩摩藩、佐賀藩、中国の長州藩、四国の土佐藩などである。彼らはのちに、明治維新を主導する立場となる。

これらの藩では、早くから海防意識が発達し、十九世紀中頃には、造船技術、航海術、砲術、大砲鋳造、台場築造など、海軍を中心にした西洋式軍事技術の導入と兵力の増強に力を注ぐようになっていた。それは幕府の力を凌《しの》ぐ勢いになりつつあった。

一八六〇年以降、中央政府である幕府は、各地で激しさを増す攘夷派の武士たちの動きに頭を痛めていた。一八六一年七月、江戸の東禅寺《とうぜんじ》に置かれていた英国公使館が水戸浪士たちに襲われ、外交官らが重傷を負った事件（第一次東禅寺事件）を手はじめに、翌年九月には横浜の近く生麦《なまむぎ》村を馬で通りかかった英国商人数名が薩摩藩士たちによって殺傷されたり（生麦事件）、一八六三年一月、江戸品川に建設中の英国公使館が長州藩士たちの手で焼き討ちされる、といった外国人たちを震撼《しんかん》させるような物騒な事件が相次いだ。

このような中、天皇は日本を再び鎖国状態に戻し、ただちに攘夷を実行せよ、という命令（勅命）を幕府に下した。この命令に答えるため、一八六三年四月、時の将軍徳川家茂《いえもち》は実に二百三十年ぶりに上洛し天皇に拝謁した。攘夷実行の期日は、二ヵ月後の一八六三年六月二十五日（文久《ぶんきゅう》三年五月十日）

と決定した。これを聞いて、在京の尊皇攘夷派の志士たちは沸き立つ。彼らの中心は長州藩であった。

「生《い》たる器械」

ところで、井上聞多と伊藤俊輔は、二人とも長州藩攘夷派の中心メンバーであった。同藩の高杉晋《しん》作《さく》が画策した江戸の英国公使館焼き討ちにも、山尾庸三《ようぞう》（二十六歳）や久坂玄瑞《げんずい》らと参加、大いに気勢をあげていた。その井上が翌月、京都で、兵学の大家である佐久間象山《しょうざん》が説く海軍興隆論と人材の海外派遣論にいたく感激し、自ら外国へ渡って海軍の学術を研究しなければならない、との決意を抱くようになる。山尾も同様であった。真の攘夷を行うには、西洋の海軍技術を習得するのが先決である、との考えからである。

長州藩の軍備を充実させ、藩そのものの近代化、富強化を図ることは、日本全体を近代化させることにつながり、ひいてはそれが日本の海防を強化し危機を救うことにもなる、というのである。藩の重役たちもこれを理解して、藩主の毛利敬親《たかちか》や世子《せいし》の毛利定広《さだひろ》に言上、藩主の内命が井上らに下されたのは、六月四日（和暦四月十八日）である。この時、海外へ渡ることを許されたのは、井上、山尾のほか野村弥吉《やきち》（井上勝《まさる》・二十歳）の三人であった。井上は洋学を学んだ経験があり、山尾と野村は航海術も習得していた。内命書にはこう書かれてあった。

いまの時勢では外国へ行くことなどとても難しいことではあるが、いったん外国と戦争になれば、外国の優れた技術を取り入れることも難しくなろう。したがって、三人には今後五年間の「暇《いとま》」を申し渡すから、その間にせいぜい「宿志」を遂げるよう努力せよ。そして帰国後は海軍興隆のため一途に励むべし。

三人はすぐに横浜へ向かうことにした。横浜に着くと、旧知のジャーディン・マセソン商会横浜支店の支配人サミュエル・ガワー（Samuel Gower）に直接会って渡航費用と方法について相談し、紆余《うよ》曲《きょく》折《せつ》のすえ何とか引き受けてもらえることになった。もう六月も半ば過ぎであった。

さらにこの時点で、もう二人、渡航する者が加わった。伊藤と遠藤謹助《きんすけ》（二十七歳）である。彼らも早くから外国へ行くことを希望していた。合計五人、いずれも二十代の血気さかんな若者ばかりである。渡航先は英国。目的は海軍学の習得である。

世話役を引き受けてくれたジャーディン・マセソン商会は、すでにアジアで最大の貿易商社となっており、一八五九年の開港と同時に横浜に支店を置き、日本における商取引で主導権を握りつつあった。横浜支店は、日本人の間では英一番館と呼ばれていた。英国最大の商社が、攘夷派長州藩士たちの密航に手を貸そうというのだから面白い。ジャーディン・マセソン商会が、彼らの密航を引き受けた直後の六月二十五日、長州藩は攘夷を実行した。下関海峡を通航中の米国商船を砲撃したのである。

井上聞多（馨）
1835-1915
萩博物館所蔵

山尾庸三
1837-1917
萩博物館所蔵

野村弥吉（井上勝）
1843-1910
萩博物館所蔵

激怒した列強諸国は、次のような論評記事を掲げた。

ペンブローク号が受けた無礼は、国籍にかかわりなく、外国人すべてを国外追放するという日本政府の決意を明白に示しており、日本で有史以来最悪の暗黒時代の始まりを告げるものだ(『ノース・チャイナ・ヘラルド』七月四日付)。

井上たち五人の覚悟も並大抵ではない。彼らは出帆前日の六月二十六日、藩の重役たちに宛てて覚悟の手紙を認《したた》める。「宿志」を遂げたい一念からとはいえ、決死の覚悟で行ったことであり、罪は万死に値するが、初志を貫徹できない場合には、生きて帰るつもりは毛頭ない。……「生《いき》たる器械」を買ったと思って許してほしい。

身命を賭しての決死行であることを切々と訴え、藩の大金を拝借した罪を詫び、自分たちを「生たる器械」にたとえて非常な覚悟のほどを語る。「生たる器械」とは、西欧の文明技術を身につけた人間のことをさす。彼らにとって、海外渡航は、決死行であると同時に、「夷《い》を制するの術」を習い究めるための苦行でもあった。攘夷のための外国行きだというわけである。

西欧文明への開眼

その日、夜九時過ぎ、英一番館に着いた五人は、直ちにガワーが用意してくれた洋服に着替え、髷《まげ》を切る。「洋装」と「断髪」は、彼らにとって耐え難い屈辱であった。伊藤は別れの席で、「ますらをのはじをしのびてゆくたびは　すめらみくにのためとこそしれ」の歌を詠み、大いに気を吐いたという。

まさにこの時、彼らにとっての「外国行き」は、「恥を忍んで行く旅」以外の何物でもなかったのである。

夜半過ぎ、五人はガワーの先導で、英一番館の裏手から小蒸気船に乗って本船に向かった。本船の名は「チェルスウィック号」（Chelswick）。ジャーディン・マセソン商会所有の小型蒸気船である。本船に乗り移ってからも、彼らはしばらく石炭庫内に身を隠し、出帆の時を待った。幕吏の目を避けるためである。

チェルスウィック号が横浜を解纜《かいらん》したのは、六月二十七日（和暦五月十二日）未明であった。長州藩が外国船に対し最初の火ぶたを切った二日後のことである。五日後に上海に着いた一行は、商業都市上海の活況と近代文明が織りなす見事なその都市景観に目を奪われた。

彼らは、上海で外国の強大な海軍力を実際に目のあたりにして、日本の無防備をあらためて思い知らされた。攘夷は間違いである。攘夷をすれば国が亡ぶ。今、日本がなすべき急務は、海軍を興して早急に防禦《ぼうぎょ》の手だてを講じることである。五人はここ上海で、初めて西欧文明の実際に触れて、眼を開かせられる思いがしたに違いない。

港に着いて間もなく、彼らは、ガワーの紹介状をもって、ジャーディン・マセソン商会上海支店の

伊藤俊輔（博文）
1841-1909
萩博物館所蔵

遠藤謹助
1836-1893
萩博物館所蔵

幕末の横浜の風景（1861年）

中央下の白く大きな建物が英一番館。

国立国会図書館所蔵

上海の埠頭（1860年）

長州の５人の若者が見た上海の光景。

ケズィックを訪ねた。ケズィックは渡航の理由を訊いた。英語がうまく話せない彼らは、「海軍学習得」（ネイヴィー）というべきところを、「ナビゲーション」と答えてしまったため、ケズィックは、彼らが航海術修業をめざして英国へ行くものと思い込んだ。そこでケズィックは、ロンドンに帰航予定の二隻の帆船に五人を分乗させ、両船の船長に対し、親切にも彼らの実地訓練を依頼した。井上と伊藤が乗り組んだのは、「ペガサス号」（Pegasus）という三百トンほどの小さな船であり、ほかの三人はもうひと回り大きな「ホワイト・アダー号」（White Adder・五百トン）に乗り組むことになった。二隻とも中国茶を本国へ運ぶティー・クリッパーであった。

冒頭に記したように、井上と伊藤の乗ったペガサス号がロンドン・ドックに入ったのは、十一月四日である。上海からの長い航海は、彼らにとって試練ともいうべき苦しみとの闘いであった。それだけにロンドンに着いた時の喜びはひとしおであった。無事安着を喜び合った二人がそこで目にしたものは、英国の巨大文明の数々であった。井上は、ほとんど茫然自失の体で、しばらくは何から手をつけてよいかわからなかった、とのちに回想している。伝記にいう。

陸上の市街には三層又は五層の高厦《こうか》駢列《へんれつ》し、汽車は諸方に快走し、工場より昇騰《しょうとう》する黒烟《こくえん》は中天に靉靆《たなび》き、人々の往来は旁午《ぼうご》織るが如く、其《そ》の繁華の盛況は初見の君をして殆《ほと》んど茫然《ぼうぜん》たらしめ、攘夷の念の如きは、忽《たちま》ち烟散霧消《えんさんむしょう》して、其《そ》の跡を留めざるに至れり（『井上伯伝』巻之二）。

煉瓦あるいは石造りの高層の建物の間を、蒸気機関車が縫うように走り、近代設備を誇る工場の煙突からは黒煙がもくもくと上がり、人々が市中を繁しく往来する様を見て、彼らがこれまで抱いてきた「攘夷」の観念がいかに現実離れした考えであったかを、二人はこの時しっかりと感じとったのである。

ここから二人は迎えの者の案内で汽車に乗って、フェンチャーチ・ストリート駅（Fenchurch Street）に向かった。駅に着くと、東側に位置するマイノリーズ街（Minories）に面したアメリカ・スクエア（America Square）のホテルに連れて行かれた。ここで図らずも先着していた野村、遠藤、山尾の三人と再会、お互いに無事を喜び合った。山尾は床屋で髭を剃ってもらっていたところで、大いに驚いたという。

真に良き教育

それから数日後のことであろう。ペガサス号のボアーズ船長（Captain Bowers）が旧知の間柄にあるジャーディン・マセソン商会のロンドン支店支配人ヒュー・マセソン（Hugh Matheson）のところに五人を伴い、彼らの今後の身の振り方について相談したらしい。マセソンは次のように回想している。

ロンドンに到着すると、彼（ボアーズ船長）は、その若い船客たちを私の事務所に連れてきた。彼らの名は、伊藤、志道《しじ》（井上）、山尾、野村、そして遠藤である。野村だけが最初、ややブロークンな英語で話そうとした。私は彼らにふさわしいところに下宿させるべく、教育への準備にとりかかった。極めて幸運なことに、ユニヴァーシティ・カレッジの化学教授で、のちに英国協会（British Association）の会長となったウィリアムソン博士にお願いし、彼らを博士の家に下宿させてもらうことができた。教授と相談の上、私は彼らが多少なりとも英語が学べ、しかも真に良い教育（a really good education）の基礎づくりの準備ができるクラスに入れるようにとり計らった。この点で、ウィリアムソン博士の助言は大変貴重なものであった。「洗濯はどうするのか」とか、「靴はどこ

ホワイト・アダー号

野村、山尾、遠藤が上海からロンドンまで乗ったティー・クリッパー。

山口県文書館所蔵

ロンドン・ドック（1845年）

長州藩の留学生が到着したロンドンの港。

ロンドンの街並み（1863年）

5人の密航留学生が目の当たりにしたであろうロンドンの光景。

© The British Library Board, The Illustrated London News, 14 November 1863 (London Landscape Picture).

で買えるのか」とか、彼らはあらゆることを私に訊いてきた。彼らは時間を有効に使い勉強にいそしんだ。私はしばしば彼らと会った("Memorials of Hugh M. Matheson")。

「この点で、ウィリアムソン博士の助言は大変貴重なものであった」(In this respect Dr. Williamson's advice was invaluable)というマセソンの言葉は注目してよい。すなわち、彼ら五人がこれから身につけるべき、本来的に必要な教育の「基礎づくり」(groundwork)をどのように行うべきかを、ウィリアムは自らがこれまでカレッジで実施してきた総合的な科学知識の涵養《かんよう》と、人間性を高めるための教養教育の視点から、マセソンに対して諄々《じゅんじゅん》と説いたに違いない。しかも、彼らがアジア、とくに日本から最初にユニヴァーシティ・カレッジへやって来た留学生たちであったことは、ウィリアムにとってかなり重要な意味をもっていたはずである。

日本からやってきた五人の若者たちを目の前にして、ウィリアムは、彼が生涯のテーマとして掲げている「異質の調和」を、最も普遍的な形で実現できる最大のチャンスだと思ったかも知れない。ウィリアムをヒュー・マセソンに五人の教育係として推薦したのは、ユニヴァーシティ・カレッジの評議員であったプレヴォスト(Sir Augustus Prevost)である。マセソンから相談を受けた時、プレヴォストはためらうことなくウィリアムを選んだに違いない。彼の性格と教育理念、そしてコスモポリタン的な生き方にプレヴォストは敬意を払っていた。

教え子のフォスターは追悼文で、この時の五人に対するウィリアムの真摯な態度に、最大の讃辞を贈りこう述べる。

多くの点において、ウィリアムソンは驚嘆すべき資質を備えており、彼が世話をした一群の熱心な若い探求者たちに有益な影響を与えた。彼は、性格の強靭さと決断力に加え、健全な判断力と非常に優しい感情を兼ね備えていたし、彼自身の品行と節操の基準はいつも高く保たれており、同時に彼がフランスやドイツの生活に精通し、それらの国の指導者の多くと親しくしていたことは、彼に広い視野を与えただけでなく、彼をささいな偏見からも解放した（G. C. Foster, op. cit.）。

フォスターの言葉からも、ウィリアムが偏見にとらわれない世界主義的見解の持ち主で、愛情深く、度量の広い人物であったことがわかる。

日本人留学生の受け入れ

当時、ウィリアムは三十九歳の働き盛りで心身ともに充実し力が漲《みなぎ》っていた。前の年の一八六二年には娘のアリスが生まれたばかりで、ウィリアムとエマは子育てに忙しかったはずである。アリスは一八八八年に、ユニヴァーシティ・カレッジの物理学の助教授であったアルフレッド・ファイソン博

ヒュー・マセソン
Hugh Matheson
1820-1898

アレキサンダー・ウィリアム・ウィリアムソン

長州藩の留学生を受け入れた頃のウィリアム。

Royal Society of Chemistry

長州ファイブ

後列左より、遠藤謹助、野村弥吉（井上勝）、伊藤俊輔（博文）。
前列左より、井上聞多（馨）、山尾庸三。

萩博物館所蔵

士（Dr. Alfred Henry Fison）と結婚、アリスの子孫は今に続く。

一八六三年は、日本からの留学生たちの世話という問題だけでなく、研究生活の上でもウィリアムにとって生涯記憶に残る重要な年となった。というのも、実は、前年に王立協会からロイヤル・メダルを授与されたウィリアムは、この年、化学協会（Chemical Society）の会長に就任し、英国化学界の頂点に達したばかりでなく、同じ年にニューカッスルで開かれた英国協会（British Association）の総会において同協会化学部門（Chemical Section）の会長に選ばれるという栄誉を手にしたのである。しかし、彼は権力に溺れ慢心するような人間ではなかった。フォスターの貴重な証言が残されている。

彼は、科学を代表する人間として、自分の立場に対する高い義務感と責任感とを持ち合わせていた。多くの強い人間のように力を好んだが、彼は決して自己本位の人間ではなく、より小心でより野心的な人たちが昇進を求めて術策を弄することを軽蔑していた（G. C. Foster, op. cit.）。

日本からきた五人の若者たちは幸運であった。英国教育界においても得難い師とめぐり会えたのである。しかも、この五人の若者たちを、ウィリアムはすべて自分の家に住まわせることにした。そこには生まれたばかりのアリスのほか、メイドも二人ほどいたはずである。この若者たちを自分の家に引き取る決意をした時、ウィリアム自身がきわめて厳しい生活環境にあった。それでもウィリアムとエマは、喜んで彼らをプロヴォスト・ロードの小さな家に迎え入れたのである。

だが、五人を一緒に住まわせるには、プロヴォスト・ロードの家はあまりに手狭であった。そこで、マセソンは、井上と山尾の二人を、カレッジのすぐ前にあったガワー・ストリート一〇三番地（103 Gower Street）のクーパー邸に寄宿させることにした。主人のアレキサンダー・D・クーパー（Alexander

Davis Cooper）は、風俗画を得意とし、ロイヤル・アカデミーにも時々出品するなど、ある程度名の通った画家であった。アカデミー会員の父エイブラハム（Abraham）も有名な画家であり、妻もアカデミー出品作家のひとりであった。

クーパー邸に移ってからの二人は、恐らく周囲を絵にかこまれた芸術的雰囲気の中で暮らしたと思われる。この一〇三番地の家は、ウィリアムのプロヴォスト・ロード一六番地の家とともに、現在も、往時のままその姿をとどめている。興味深いのは、以後クーパー邸が、幕末維新期にロンドンにやってきた日本人留学生たちの定宿のようになったことであろう。

ちなみに、一八六五年には薩摩藩の村橋久成《ひさなり》が、翌六六年には同じ長州藩の山崎小三郎《こさぶろう》、南貞助《ていすけ》がここに暮らし、維新後には、七〇年に土佐藩の馬場辰猪《たつい》が、そして翌年同藩の片岡健吉《けんきち》がそれぞれホームステイしている。最初の下宿人であった井上や山尾の印象がよかったせいもあろうが、何よりも、はるばる遠い極東の地から高い志をもってやってきた若者たちに、クーパー夫妻が熱い共感を覚えたからではなかったか。クーパー邸は、いわば維新の志士たちの溜り場のような雰囲気をもっていた。

いささか横道にそれるが、このクーパーという画家についての面白いエピソードがある。

アリス・モード・ウィリアムソン（ファイソン）
Alice Maud Williamson (Fison)
1862-1946
上 - Williamson Collection / Phoebe Barr
下 - John Fison

ウィリアムが王立協会から授与されたロイヤル・メダル

メダル側面にウィリアムの名が彫られている。

Courtesy of the Williamson Family

旧クーパー邸

中央右側のドア。道路を挟んだ向かいがユニヴァーシティ・カレッジ・ロンドン。

撮影：佐藤暢隆

後年、岩倉使節団がロンドンを訪れた際、副使であった長州の木戸孝允《たかよし》が留学生の福原親徳《ちかのり》とこの家を訪ねた。一八七二年十二月十五日（和暦十一月十五日）のことである。その時の木戸の日記にこうある。

曇十一時頃、芳山《よしやま》（福原親徳）に至り共に一画工の宅を訪れ、すなわち我《わが》老公の御画像を拝見す。御容像真に近し、画工公顔を拝さずして如比《かくのごとく》なる実に巧《たくみ》なりと云へし。かつてこの家に山尾寓せりと云。また芳山の処に帰る（『木戸孝允日記』二）。

クーパーが描いた長州藩主毛利敬親の肖像画を見たというのである。画家が実際に会ったこともない人物の画を、こんなにも「真に近」く描けるとは実に巧みなものだと、木戸は感心している。クーパーは肖像画家としても名が通っていたから、あるいは新聞の日本記事に載っていたイラストなどから、井上や山尾の語った印象も参考にして描いてみたのだろう。どこかの家の片隅に、今でもこの絵が残っていたら面白いのだが。ささやかな日英交流の絆を見た思いがするエピソードである。

「西洋の真髄」を求めて

さて、いよいよ日本人五人の入学する日がきた。彼らはウィリアムが属する法文学部へ聴講生（Students not Matriculated）の資格で入学した。そのつど、学びたい科目を選んで授業料を払い、講義に出席するのである。現在、カレッジ内の資料室に保存されている「学生登録簿」（Register of Students）から彼らがどのような科目を選んだかがわかる。

一八六三年度には伊藤、山尾、野村、遠藤の四人とも「分析化学」（Analytical Chemistry）をとっている。ウィリアムの担当する講座であるから当然であろう。井上の名前だけが漏れている。理由はわからないが、授業料の支払いが遅れたのかも知れない。六四年度は、井上と伊藤が帰国し、残る山尾が分析化学のほか、化学（Chemistry）と土木工学（Civil Engineering）を、野村が化学と地質学（Geology）、鉱物学（Mineralogy）を、そして遠藤が化学、地質学、鉱物学をそれぞれとっている。六五年度は同じで、六六年度になると、山尾がグラスゴーへ去り、遠藤が帰国したため、野村のみの在籍となる。だが、注目すべきは、その野村の受講科目である。これまでの分析化学、地質学、鉱物学に加えて、新たに英語（English）、フランス語（French）、数学（Mathematics）、数理物理学（Mathematical Physics）の四科目を選択している。

これは、まさにウィリアムのめざすリベラル・サイエンスの教えを、野村が忠実に守り、身をもって体現したものにほかならない。入学三年目にして、野村は大学教育に必要な「基礎づくり」が完成の域に達していたというべきであろう。

日本人留学生五人の教育は、ウィリアムの指導するバークベック実験室を中心に行われた。前にも述べたように、ここでの教育は、科学の基本教科を組織的に学びながら、一般的な化学分析を実際に訓練することで、技術や応用力を養うのが目的であった。すなわち、理論化学と応用化学を両側面から学びながら、彼らに科学研究の本質を身につけさせようとするウィリアムのねらいがそこにあったといえよう。

こうして、伊藤、野村、遠藤の三人は、プロヴォスト・ロードのウィリアムの家から、そして井上と山尾はガワー・ストリートのクーパーの家から、それぞれユニヴァーシティ・カレッジに通うこととなった。一八六三年も末の頃であったと思われる。

当時を振り返って、伊藤は次のように語る。

毎日通学して朝夕は家で稽古すると云ふやうなことで、ウエッセンシー《（ウィリアムソン）》と云ふケミストリーの博士で其の家に居って算術を学んだりして居った。一寸言ふと教師が大学に出てケミストリーの方を受持て居る、それが朝晩に家へ来て教へる、昼間は大学へ行て稽古する、色々さう云ふやうなことをして這入り掛けた（『維新風雲録　伊藤・井上二元老直話』）。

朝晩はウィリアムソンの家で英語や数学を勉強し、昼間はカレッジへ行って実験室で授業を受ける。そうした生活のくり返しであったようである。だが、毎日カレッジへ通学するうちに、彼らはしだいに実証的で自由主義的な学問環境になじみはじめたばかりでなく、机をともにする学生仲間、指導を受ける教授や助手たちからラディカルな実践的教育と思想とをたたき込まれていった。

そして、授業の合間を利用して、彼らは造船所、各種製造工場はもとより、造幣局、博物館、美術館等へ足繁く通い、西欧文明の実際を貪欲に吸収しようと努める。彼らが日本を出る時に誓った言葉「生たる器械」となるためには、学問や技術を習い究めるだけでは不十分であった。近代西欧文明を根底で支えている「西欧の真髄」そのものを見極める必要がある、彼らはそう考えるようになる。だが、それが何かは彼らにもまだよくわからない。

そうした意味において、彼らが西欧文明を理解する上でエマの存在は大きかった。ハリスおよびブロックによる評伝はいう。

それに加えて、彼らはウィリアムソン夫人から特別な厚遇を受けた。夫人は彼らを家族の一員として遇しただけでなく、彼らの英国滞在が幸せにいくように心を尽くす一方で、彼らが英語を学ぶ手助けをした。学生たちの英語は急速に上達して、英国の産業と商業の正しい知識を、祖国の発展を成し遂げるために応用する知識を、またたく間に身に付けたのである（J. Harris, and W. H. Brock, op. cit.）。

日常生活の中で、彼らが西欧文明に慣れ親しむように、エマは普段から心配りを忘れなかった。一方、ウィリアムは彼らを様々な産業施設に送り込むだけでなく、自身が工場見学ツアーに連れて行ったと思われる。実験室で個々の事象について比較実験したあと、その実際を現場に出かけて行って確認させる。そうすることにより、彼らが科学一般の原理を理解して、近代西欧文明とは何か、科学文明とは何かを自分自身の頭で考えられるように仕向ける、それこそウィリアムが彼らに期待したものではなかっただろうか。「個人や国家の持つ多様な文化を調和させてこそ文明は発展する」という、「異質の調和」の理念を通して、日本人である彼らに西欧近代文明を理解させる必要があったのである。

彼ら五人は、積極的にそれに応えてくれた。

一八六四年一月二十二日、スレッドニードル・ストリート（Threadneedle Street）のイングランド銀行を訪ねたのも、実学教育の一環としてウィリアムが彼らに見学を勧めたのかも知れない。当時、イングランド銀行はヨーロッパ随一の造幣技術を有し、一度に数千枚の紙幣を刷り上げる印刷機械とその高度な技術に感嘆の声をあげない者はいなかったという。

五人の訪問記録が銀行に残されている。記念用の一千ポンドの銀行券の余白に、彼ら五人の名前が漢字とローマ字の双方で記されている。署名を求められるのは、特別な来賓に限られたというから、遠い日本からの賓客として遇されたのであろう。一番下の余白には、次のような銀行側の書き込みがある。「大名と三人の祖国の友人たち―日本人」（A Daimio - and three Native friends - Japanese 22nd Jany. 1864）。

ヨーロッパでは「大名」は、日本の封建領主を意味する言葉として、外交文書など公文書でも使わ

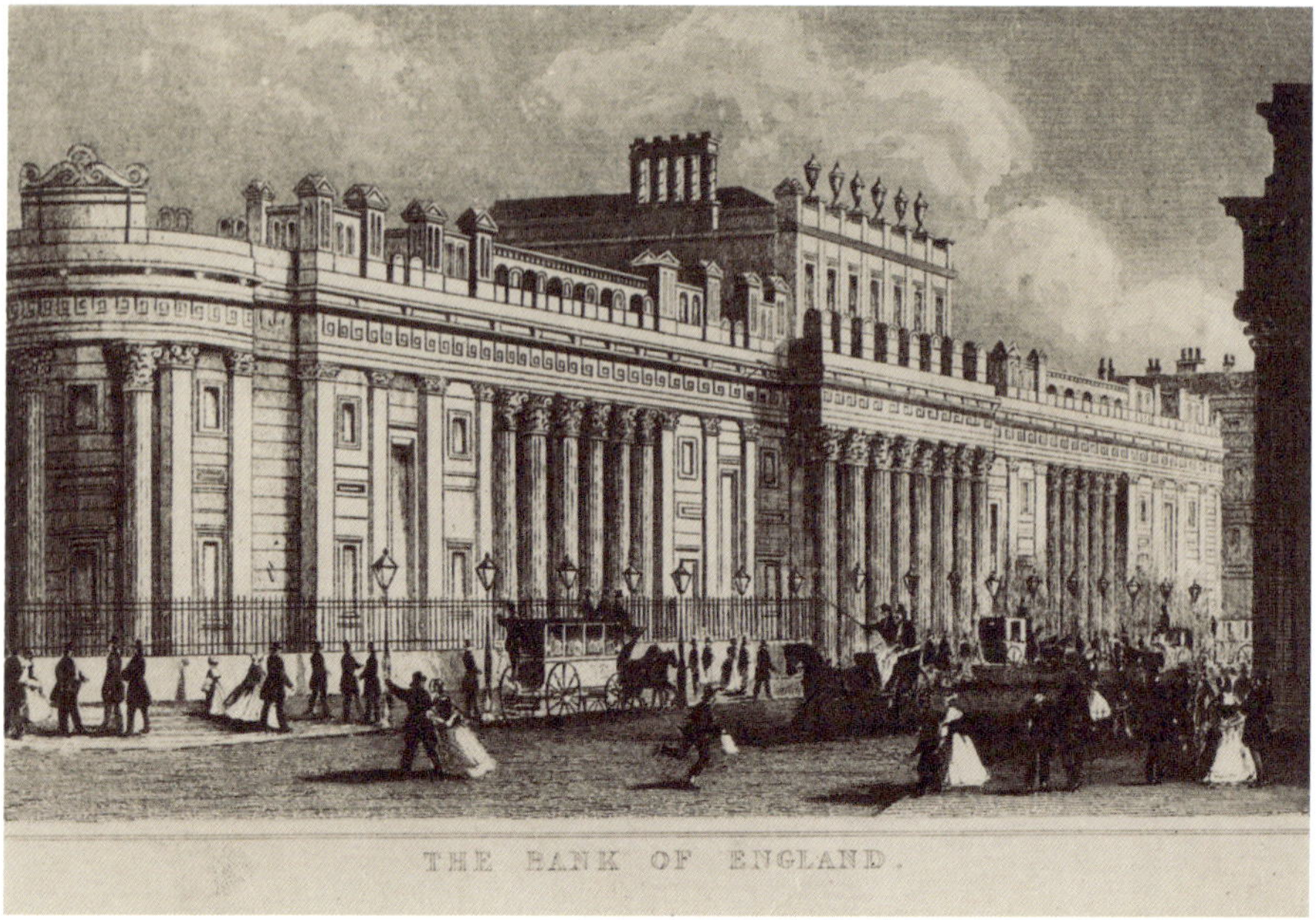

旧イングランド銀行（1846年）

Bank of England

イングランド銀行1000ポンド銀行券

5人の留学生が名を認めた記念紙幣。

Bank of England

れて広く知られていたから、長州藩の五人も自分たちを権威づけるために、「Daimio」とわざわざ記したのではないか。左端にひときわ大きく「志道聞多《しじぶんた》」と、井上が署名していることを考えると、恐らく「大名」と称したのは一番年上でリーダー格であった井上であろう。他の四人の署名も井上が一括して書いたようにも見える。銀行側の注釈の三人は、四人の誤りと考えてよい。

いずれにしても、彼らは時代の最先端を行く造幣技術の粋を見て、驚嘆すると同時に、ウィリアムの説く西欧科学文明の本質をある程度理解できたかも知れない。ここでそれを知る手がかりはないのだが。

新たな「ニッポン」のために

彼らがイングランド銀行を訪ねてからそう遠くないある日、ヒュー・マセソンが彼らのもとにやってきて、日本からの重大な情報を伝えた。八月に鹿児島で英国艦隊と薩摩藩が戦闘を交えたというのである。薩英戦争の情報であった。この情報を入手する以前、すでに彼らは、ある程度現地の新聞で、長州藩の外国船砲撃や外国によるその報復攻撃、それに薩英戦争など、日本における一連の攘夷事件に関する記事を読んでいたはずである。

井上は回想する。

砲撃を受けた各国が自ら長州を征伐しなければならぬというような議論も、新聞紙上に現われてきたものですから、私共も憂念にたえませんで、伊藤に相談をしまして、吾輩が外国へ来て海軍の学術を研究しても、自分の国が亡びた時には、どこでその海軍の学術を実際に応用することができようか、全く無益のことであるから、この上は二人で帰国して、君公にも謁し、また政府の役人などにも逢うて、欧羅巴《ヨーロッパ》の形勢事情を説いて、攘夷の方針を変じて、尊皇開国の方針を執《と》らせるようにしようではないかというと、伊藤も同意したものですから、あとの三人の者を残して、伊藤と私が帰ることになりました（「懐旧談」）。

英国で近代文明の実際を学び始めた井上は、西欧文化・技術の先進性を深く認識すると同時に、日本の立ち遅れを身にしみて痛感する。こうした危機感が、彼を「強兵」のみならず「富国」を視野に入れた開国論へと導いていく。国家あっての海軍、強兵ではないか、というのである。

伊藤も、留学のため英国へ赴き、「欧州諸国また郡県の制を実施して国家の隆盛を来たしているのを目撃し、ますます封建を廃止しなければならぬ必要を確信した」（『伊藤公直話』）と留学中の体験を語っている。この時点で、彼らは明らかに「ニッポン」という統一国家を意識し、それぞれに具体策を思い描いていた。

彼らは五人全員で署名した手紙をマセソンに送る。そこには、熟考の結果、国を滅亡の危機から救うため、井上と伊藤の二人が帰国することに決まった、と書かれていた。二人が帰国を告げた時、周囲の人びとは、「殺されるかも知れないからよせ」といって、彼らの帰国を思い止まらせようとした。しかし、二人の決意を変えることはできなかった。

野村、遠藤、山尾の三人も、ともに帰国しようといったが、井上はこれをとめた。「生たる器械」となって国を救うという「宿志」を、だれが貫徹するのか。だから三人は残って命を全うし、初志を貫徹しろ、と二人は説いた。井上と伊藤が、ロンドンをあとにしたのは、一八六四年四月下旬の頃である。

井上と伊藤が帰国してから二ヵ月ほどが過ぎた六月末、野村、遠藤、山尾の三人は、ひとりの英国外交官と会った。レジナルド・ラッセル（Reginald Russell）という。一八六一年六月に、一等書記官ローレンス・オリファント（Laurence Oliphant）の随行員として来日、日本語書記生の資格で二年ほど日本で暮らした経験があった。

英国を中心に、英・米・仏・蘭の四国連合艦隊が長州藩の下関砲台攻撃を計画している情報を得たラッセルは、長州藩の真意を訊く必要から三人の留学生に接触したと思われる。駐日公使オールコック（Sir Rutherford Alcock）の下関遠征計画に対し、外相ラッセル卿（Lord John Russell）は否定的見解を示していたからである。三人はラッセルに次のように話した。

長州藩が欧米の艦船を砲撃したのは、幕府を倒すきっかけをつくりたいと思ったからであり、真の目的は幕府の政治権力を天皇へ取り戻すことによって、日本に平和と秩序を回復することである。そのためには、列強の外交団が直接京都の朝廷へ出向いて、天皇と条約を結ぶ必要がある。そうすることで幕府の持つ貿易独占権が排除され、外交と貿易の利益が国民全体にあまねく行き渡るようになるであろう。ここに、外国人の安全と利益は確保され、日本との自由貿易も進み、内乱は鎮まり、国家の平和と統一が実現されよう（Reginald Russell. "Memorandum. Japan." FO 46/49, July 1, 1864）。

会見は二度にわたり、英語と日本語の両方を使って行われた。自分たちが英国に来た理由は、「応用科学」（the applied sciences）と「国民に役立つ技術」（such arts as might be useful to their countrymen）、そしてヨーロッパ言語（the European languages）を学ぶためだとも語った。続けて、「仲間のうち二人が、彼らが見聞したすべてを藩主に報告し、さらに多くの藩士たちをヨーロッパへ派遣するよう主君に要請するため帰国した」と告げた。

井上と伊藤の帰国理由が、ここでは留学生の派遣要請に置き換えられている。多くの攘夷派の志士たちが西欧文明を体験することで、祖国そのものが救われる、というナショナルな認識がそこには感じられる。それは、外国との条約締結権を朝廷に移すことによって、日本に平和と秩序を回復したい、という彼らの共通した思いとも重なっていた。だからこそ、彼らは英国に密航した理由を、「海軍学」ではなく、「応用科学」と有用な「技術」を学ぶためだとはっきり答えたのである。ユニヴァーシティ・カレッジに入って半年あまりが経過したこの時点で、彼らは、「祖国の近代化に役立つ人間」になりたいという目的意識を確実に体得したといえる。それは三人のカレッジにおける勉学の姿勢にもよく現れている。

一八六四年度において、分析化学のクラスで山尾は四位、遠藤は五位という優秀な成績を収め、優等生の修学証書を授与されている。帰国した井上や伊藤も含め、彼ら長州藩留学生たちの胸中には、明らかに新しい日本の統一国家像が描かれていたのである。

ローレンス・オリファント
Laurence Oliphant
1829-1888

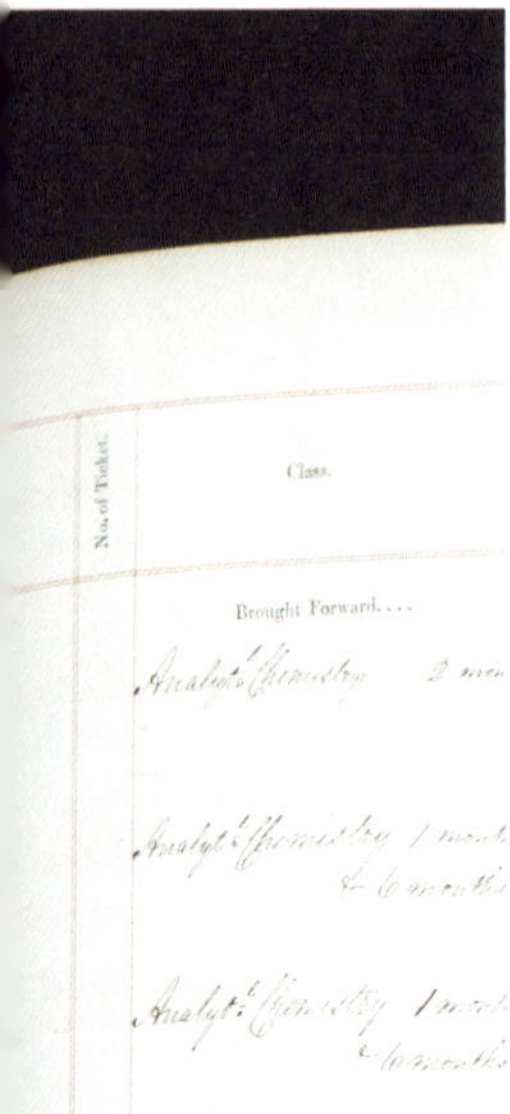
No. of Ticket.
Class.
Brought Forward....
11 Practical Surgery

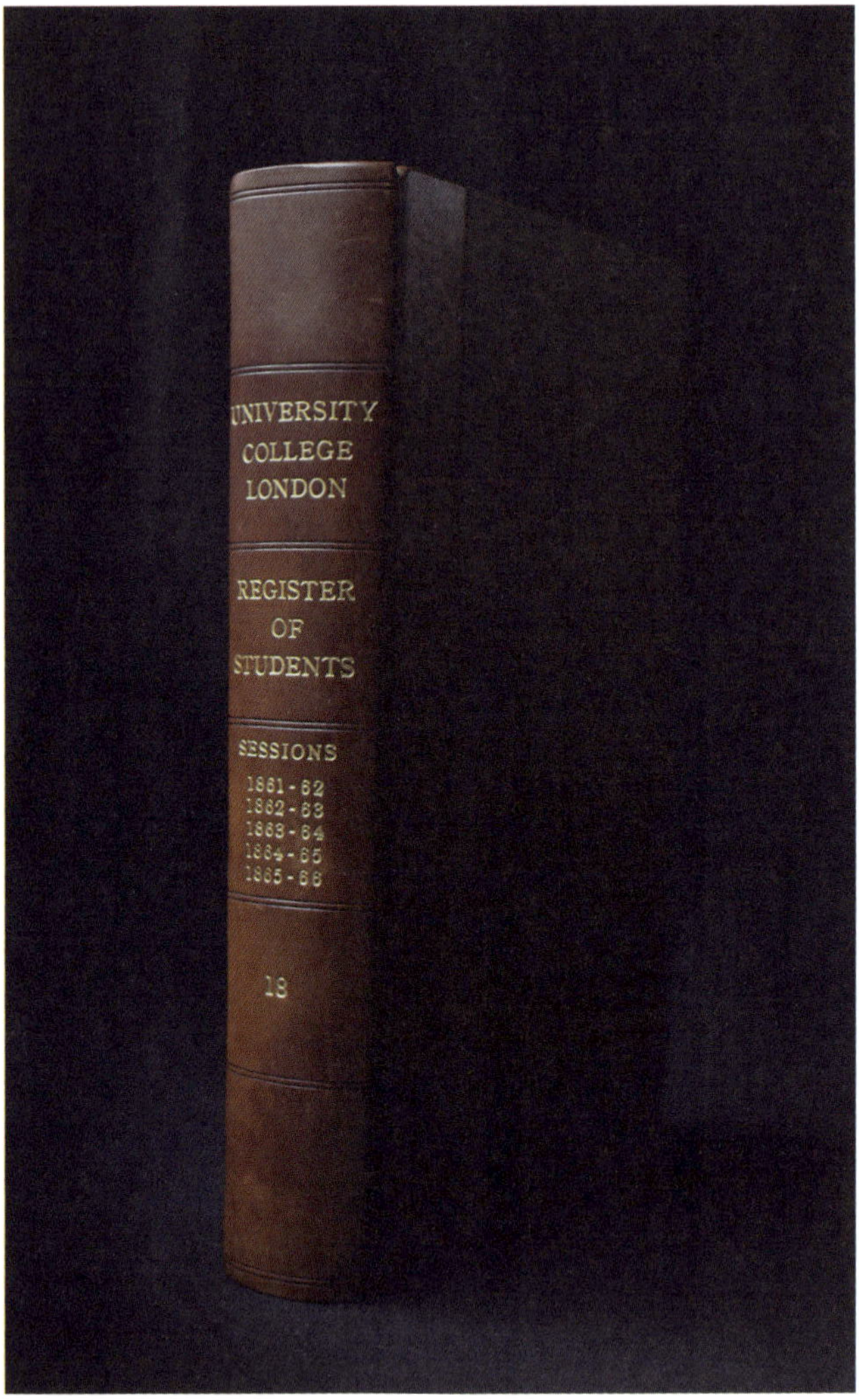
UNIVERSITY COLLEGE LONDON
REGISTER OF STUDENTS
SESSIONS
1861-62
1862-63
1863-64
1864-65
1865-66
18

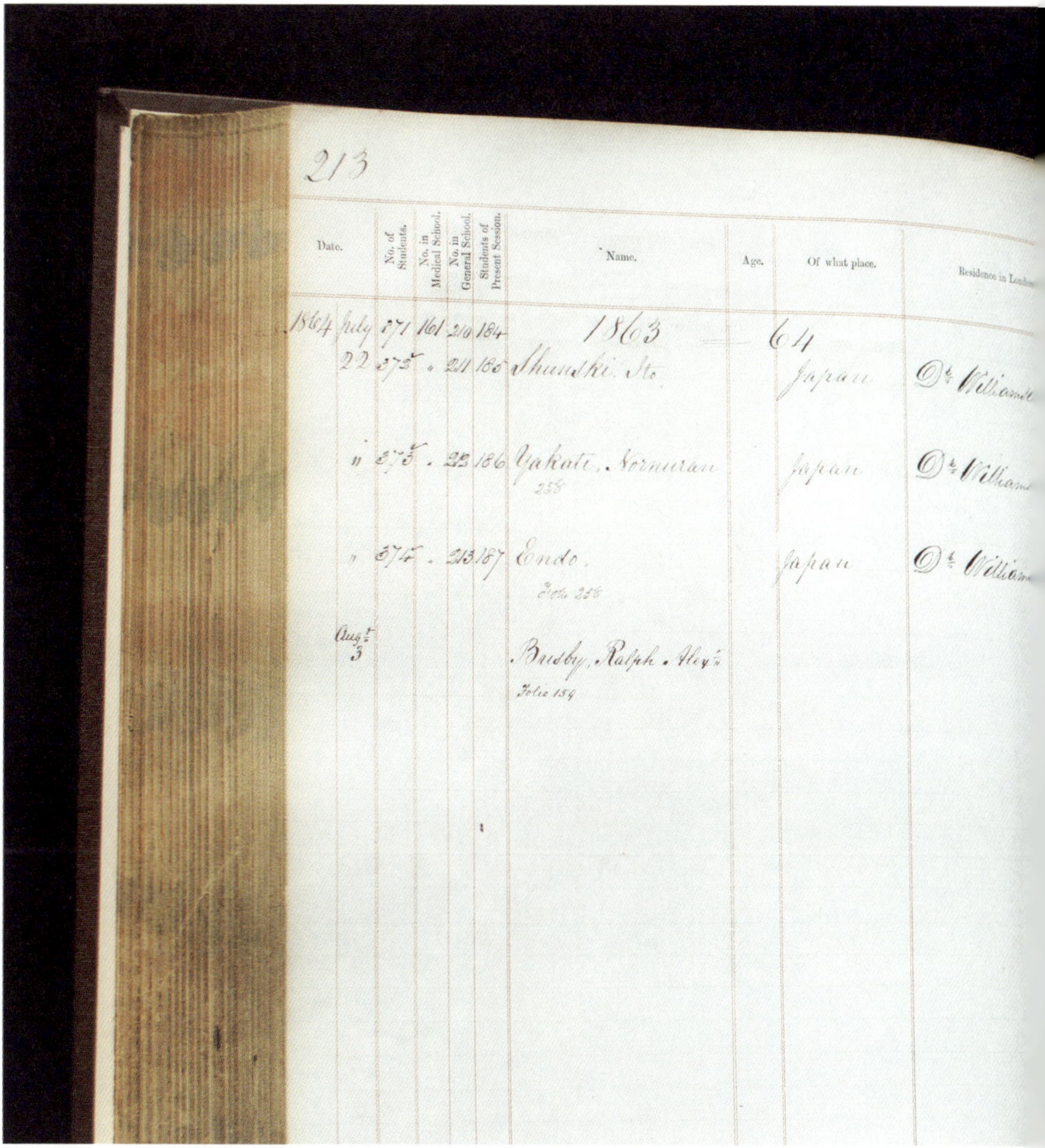

ユニヴァーシティ・カレッジの学生登録簿（1863－64年部分）

氏名欄に伊藤（Shunski, Ito）、野村（Yakati, Nornuran）、遠藤（Endo）の3人の名が記され、
住所欄にはウィリアムソン博士宅（Dr. Williamson）とある。

UCL Library Services, Special Collections

第四章　日本から来た若者たち（二）
―薩摩の十九人―

Chapter 4

Young People from Japan II : The Satsuma Nineteen

一八六四年二月九日、英国下院議会の議場は一時騒然となった。前年八月十五日に日本で起こった局地戦「薩英戦争」がはたして正しかったのかどうか、議員の間で議論が沸き起こったからである。数人の議員から、英国艦隊が鹿児島の町を焼き払い、罪のない市民たちに犠牲者が出たことに対し、文明国にあるまじき非人道的行為であるとの批判的意見が出された。意見の多くはグラッドストーン率いる自由党議員から出た。小英国主義的立場から自由貿易を推進し、帝国主義的政策に消極的な自由党にとって、それはディズレーリ率いる保守党に対する対抗意識の顕れともいえた。極東の小国日本の問題で英国の議会が紛糾したのは珍しい。

結果的に議会は、鹿児島攻撃について英国政府は日本政府に対し遺憾の意を表明する、という動議を採択した。この模様は、翌二月十日付の『タイムズ』に「鹿児島の火災」("Burning of Kagosima")と題して詳しく報じられた。

英国の下院議会で薩英戦争についての議論が交わされていた頃、日本ではすでに薩摩と英国との間に和議が成立していた。

薩英戦争の教訓

これより前、一八六二年に薩摩藩が神奈川宿の生麦で英国人四名を殺傷した事件(生麦事件)を、凶悪な攘夷行動と受け取った英国は、幕府と薩摩の双方に厳しい要求を突きつけた。多額の賠償金支払いと犯人の即時逮捕・処刑である。避戦政策をとる幕府は、やむを得ずこの要求を受け容れたが、薩摩藩はこれを拒絶した。

実力行使に出た英国は、艦隊七隻を鹿児島へ派遣、一八六三年八月十五日、交渉決裂と同時に戦闘を開始した。薩英戦争である。この戦争で薩摩のすべての砲台が破壊され、鹿児島の市街地が焼けた。英国側にも多数の死傷者が出た一方で、戦争は薩英双方に多くの教訓を与えた。

この小さな戦が薩摩藩に及ぼした影響は大きかった。この無謀とも思える体験を通して、西欧文明の威力と攘夷の愚かさを改めて認識した薩摩藩では、戦後の藩の政策路線を、富国強兵を第一主義とする「一藩割拠」体制へと大きく修正することになる。すなわち、全藩的な規模で実質的開国への道を歩み始めたのである。この歴史的意義は大きいといわねばならない。

戦後間もなく薩英間に講和の気運が生じ、佐土原藩主島津忠寛《ただひろ》の周旋で横浜において十一月九日から直接談判が開始され、十二月十一日和議が成立。薩摩藩は賠償金の支払いに応じるとともに、英国に対して軍艦購入と留学生受け入れの斡旋を依頼した。十一月十五日に行われたその時の会談(第三回)の様子を再現すると、次のようになる。

軍艦が手に入ったあかつきには、航海術を学ばせるため少年を三十人ほどヨーロッパへ派遣し、三年ぐらい滞在させたいと思うが、その時には世話になると思う、と薩摩側が留学生派遣をほのめかした。英国側は即座に反応した。最近、幕府から派遣された使節は、期限もあるため十分にヨーロッパ各国の風習などを研究する時間がなかった。三年間も留学すれば学術はもちろん、風俗、政治制度なども徹底的に研究できると思う。そう彼らは述べて、薩摩側の留学生派遣について諸手をあげて賛同し歓迎の意を表した。薩摩は「そのようにしたい」と明確な態度で意思表示をしたあと、双方ともに挨拶を交わし退席、会談は終わった。

戦った当の相手から、軍艦購入のみならず留学生を派遣したいとの提案を受けたことは、英国側にとっても驚きであった。と同時に彼らは、薩摩藩がこれまで考えていたような攘夷派ではなく、反対に積極的に外国との貿易を望む開国派の藩である事実に気づく。一八六四年一月三十日付の『ニューヨーク・タイムズ』は、薩摩藩の留学生派遣に関する情報を次のように伝えている。

薩摩の使節とイギリス公使との交渉中に薩摩は三十人の若者をヨーロッパに送り、有用な技術の教育、特に造船、大砲の製造等の技術教育を受けさせたいと提案した。また完全に武装・装備された軍艦を購入したいとも言った。これに対しイギリス側は、平和が確立すればどの西洋諸国からでも買入れはできるが、目下の情勢ではそれはできないと回答した（『外国新聞に見る日本』本編第一巻）。

一八六三年十二月十一日（和暦十一月一日）、英国側に約束どおり賠償金二万五千ポンド（十万ドル）が支払われ、薩摩側には軍艦購入の際には周旋する旨の証書が手渡されて和議が成立した。この後、薩摩と英国の関係は急速に親密の度を増し、英国はやがて、幕府に代わる中央政府として、薩摩藩を軸とする雄藩連合政権を構想するようになる。

戦後、薩摩藩では、特に海軍を中心とする軍備の拡充と西欧をモデルにした近代化に意を注ぐ。軍備の充実には、当然のことながら財政的基礎の強化が必要である。富国なくして強兵はありえない。そこに明快な富国策を提《ひっさ》げて登場したのが五代友厚《ともあつ》であった。薩英戦争の際、その反戦的立場から松木弘安《こうあん》（寺島宗則）とともに自発的に捕虜になった五代は、横浜で釈放されたあと各地を転々としたが、長崎潜伏中の一八六四年六月、帰藩を許されると、一篇の建言書を提出する。

その中で彼は、十九世紀の国際社会における弱肉強食的な権力政治の実態を披瀝しつつ、開国による富国強兵化こそ「地球上の道理」と説き、尊皇攘夷論はインド、清朝の覆轍を踏む「蒙昧愚鈍《もうまいぐどん》」の危険論として排斥。今回の薩英戦争は、その敗北が士民の蒙昧を自覚させ得たことで「千金に易え難」

い意義をもった。これを機会に薩摩藩としては「先する時は人を制するの理」によって、他藩に先駆け、率先して藩の富国強兵化を推し進めねばならないとし、具体的に上海貿易とヨーロッパへの留学生派遣を提案する。

この内、留学生派遣については、すでに見たように戦後の和平交渉の席で講和条件の一つとして薩摩藩が持ち出していた問題であっただけに、藩当局も直ちに具体的検討に入ったと思われる。ついで十一月、藩立開成所教授の石河確太郎《かくたろう》から大久保利通《としみち》に宛てて留学生派遣の建議があり、藩上層部では五代のプランを軸に海陸軍学術の習得を目的として、数名の留学生を開成所諸生中から選抜する意向を固めた。開成所とは、この年七月に薩摩藩で創設された洋学養成のための専門教育機関である。ここでは軍事学を中心に、天文、地理、航海、造船、物理など西洋専門学が教えられていた。

薩英講和の時の約束に基づき、英国との「懇親」(friendship)を深めるため、派遣先も英国と決まった。留学生たちには西欧諸国の「政度《〔ママ〕》、兵勢、地理、風習等を暗熟」すべきが期待された。

五代友厚
1835-1885
日本カメラ博物館所蔵

松木弘安(寺島宗則)
1832-1893
日本カメラ博物館所蔵

薩摩スチューデントの船出

さて留学生であるが、十二月頃から選考に入り、翌一八六五年二月には人員が決定した。四名の視察員と十五名の留学生という構成であった。次の人々である。

視察員
正使　新納《にいろ》久脩《ひさのぶ》（大目付）三十三歳
随員　松木弘安（船奉行）三十三歳
　　　五代友厚（同右副役）三十歳
通訳　堀　孝之《たかゆき》（長崎通詞）二十一歳

留学生
副使格　町田久成《ひさなり》（督学《とくがく》・大目付）二十七歳
　　　　畠山義成《よしなり》（当番役）二十二歳
　　　　名越時成《ときなり》（当番役）二十歳
　　　　村橋久成《ひさなり》（御小姓組番頭）二十五歳
　　　　田中静洲《せいしゅう》（開成所句読師）二十三歳
　　　　鮫島尚信《なおのぶ》（同右訓導師）二十歳
　　　　市来勘十郎《かんじゅうろう》（同右一等諸生）二十三歳
　　　　森　有礼《ありのり》（同右二等諸生）十八歳

高見弥一《やいち》　（同右二等諸生）　二十一歳
東郷愛之進《あいのしん》　（同右三等諸生）　二十三歳
吉田清成《きよなり》　（同右三等諸生）　二十歳
磯永彦輔《ひこすけ》　（同右三等諸生）　十三歳
町田申四郎《しんしろう》　（同右諸生）　十七歳
町田清蔵《せいぞう》　（同右諸生）　十四歳
中村博愛《ひろやす》　（医師）　二十二歳

いずれも二十歳前後の若者たちであった。中には攘夷派の人たちも数名含まれる。彼ら攘夷論者たちを、西欧先進諸国の文化・技術の実際に触れさせることで開明派へと転向させるのが目的であった。副使格の町田久成が留学生監督の任にあたり、松木と五代はそれぞれ政治外交、産業貿易の各部門を担当し、視察研究や交渉に従事することになった。

薩英戦争の第三回会談で、薩摩側が希望したとおり、留学生のうち八名が海軍学術習得を目的としており、三名が陸軍学術、あとは医学二名、英学一名という分野を研究する予定であった。非公式ルートを通じて薩摩藩が英国へ留学生を含む使節団を派遣することは、相手国にすでに伝わっていたはずである。いわば親英のための特派使節的な要素が強いということである。

幕府の許可を得ていない以上、彼らは密航である。国禁を犯すからにはそれなりの覚悟が必要である。彼らは全員変名を用いた。明治になってからその変名を本名にした者もいる。田中（朝倉盛明《もりあき》）、市来（松村淳蔵《じゅんぞう》）、磯永（長沢鼎《かなえ》）などである。人目につきやすい長崎を避けて、北薩の僻地串木野《くしきの》郷羽島《はしま》浦を出港場所に選んだのもそのためであった。一行十九名は、一八六五年四月十七日（和暦三月二十二日）

薩摩藩留学生－1

後列左より、田中静州、町田申四郎、鮫島尚信、松木弘安、吉田清成。
前列左より、町田清蔵、町田久成、磯永彦輔。
鹿児島県立図書館所蔵

薩摩藩留学生ー２

後列左より、畠山義成、高見弥一、村橋久成、東郷愛之進、名越時成。
前列左より、森有礼、市来勘十郎、中村博愛。
鹿児島県立図書館所蔵

の早朝、長崎の英国商人トーマス・グラヴァー（Thomas Blake Glover）が手配してくれた蒸気船「オースタライエン号」に搭じて羽島をあとにした。香港からはP＆O汽船会社の大型蒸気帆船を乗り継いでの豪華な船旅であった。二ヵ月余の航海を経て、目的地である英国のサウサンプトンに到着したのは、六月二十一日（和暦五月二十八日）の明け方であった。そこから夕刻発車の蒸気車に乗り込んだ一行は、夜八時過ぎロンドンに無事到着することができた。

夜八時過ぎとはいえ、薄暮のロンドンの街に彼らは圧倒された。まだ見たことのない高層華麗にして重厚な建物群に目を奪われた。旅の疲れも忘れ、まるで夢のような心地であった。彼らが泊まったサウスケンジントン・ホテルの建物が残っている。ケンジントン公園の南、クイーンズ・ゲイト・テラス一九番地（19 Queen's Gate Terrace）にそれはある。現在はオフィスとして使われているが、当時はまずまずのホテルであったらしい。

市来はホテルの様子を次のように記す。

この旅宿は大変美麗なところで、自分の部屋は七階目の七十二番の部屋で、この番号を見てようやく自分の部屋を見つけることができた。この宿の料金は一日一ポンドで、日本の二両一分ほどである（「松村淳蔵洋行日記」六月二十一日の項）。

彼らにとっては、生れて初めて泊まる本格的な西洋の旅宿「ホテル」であった。

勉学の開始

彼らのロンドンにおける生活は、薩摩から同行してくれたグラヴァー商会の社員ライル・ホーム（Ryle Holme）とグラヴァーの兄ジェイムズ（James Lindley Glover）が面倒を見てくれることになっていた。ホームとグラヴァーは協力して彼らの勉学の手配にとりかかった。グラヴァー商会がジャーディン・マセソン商会の長崎代理店を務めていた関係上、二人はまずヒュー・マセソンを訪ねて相談したであろう。一年半前に長州藩の五人を世話した経験から、マセソンはこの時二人にウィリアムのことを話したに違いない。

畠山の到着翌日の日記にこうある。

早朝からジーム、ホームの両人が来て、われわれの「修業」の件について一方ならず心配し、色々な所に相談をしてくれている。「学校一条」については問い合わせたところ、英国の規則で一年に二ヵ月ずつの休暇があるため、当分の間は休みで授業もない。したがって、われわれが会話ができないのにすぐ入学してもいかがなものかというので、二、三ヵ月の間は合宿して住み込みで英語の先生を雇い、「言葉の稽古」をするのがよかろうということに決まった（「畠山義成洋行日記」六

トーマス・グラヴァー
Thomas Blake Glover
1838-1911
長崎大学付属図書館所蔵

羽島浦から望む早朝の海

ベナールス号

薩摩藩の留学生がボンベイからアレキサンドリアまで乗った船。

デリー号

薩摩藩の留学生がアレキサンドリアからサウサンプトンまで乗った船。

サウサンプトン・ドック（1860年）

薩摩藩の留学生が到着したサウサンプトンの港。

Southampton Local Studies Library

月二十二日の項)。

全員がこの意見に賛同、ホテルを引き払い、約二キロほど北へ上ったベイズウォーター・ロード(Bayswater Road)のアパートへ移ったのは、その日の午後三時頃であった。そして、翌々日(二十四日)、午前中、彼らが会話や読書の勉強をしていたところへ、ホームとジェイムズが「バーフ」と名のる男を連れて姿を現した。住み込みで教えてくれる先生だという。前々から頼んでいて、ようやく承諾してくれたのだ、と二人は語った。

実は、この「バーフ」なる人物、ウィリアムの教え子である。正式にはフレデリック・バーフ(Frederick Settle Barff)という。

ケンブリッジ大学を出たあと聖職者の道へ進み、カトリックの助祭となった。ステンドグラスやフレスコ画の制作に才能を現したが、一八六四年にロンドンに戻りユニヴァーシティ・カレッジのウィリアムのもとで化学を学び助手に抜擢された。優秀な学生であったに違いない。その後短期間ではあるが化学担当の助教授を務め、一八六六九年と七三年には『化学入門』などの著書を出して版を重ねる実績をつくっている。後年はケンジントンのローマカトリック大学の化学教授などを歴任した(*Journal of the Chemical Society*. 1887)。

日本から来た留学生たちのために、彼らと同宿して英語を教えることになったちょうどこの時期、バーフはウィリアムの研究室で助手を務めていた。したがって、バーフを家庭教師として二人に推薦したのは恐らくウィリアムであろう。ということは、ホームとジェイムズはすでにウィリアムと接触していた可能性が強い。

バーフの写真が森有礼の旧蔵アルバムに残っている。見事な顎髭をたくわえ聖職者然とした実直そうな人物である。バーフが彼らの暮らすベイズウォーター・ロードの家に移ったのは二十五日である。その夕方、ホームとジェイムズが再びやってきて、彼らに思わぬ出来事を語った。畠山曰《いわ》く。

ホームが言うには、昨日途中で長州人と遭遇したのだが、今日こちらに来る時にもまた出会った。詳しいことはよくわからないが、一昨年に三人とも当地へ来て「分理学《ママ》」を勉強しているということである（前掲畠山日記、六月二十五日の項）。

長州の三人とは、もちろん山尾庸三、野村弥吉、遠藤勤助のことを指す。長州の留学生たちについては、ホームやジェイムズもマセソンから話を聞いていたであろうし、ウィリアムが彼らに直接話したかも知れない。ただお互いに顔を合わせたのは、この時が初めてであろう。ロンドン広しといえども、道端で二回も出会ったというのだから偶然よりも必然に近い。

薩摩の留学生たちにとっては初耳で、自分たちより前に日本から英国へ密航してきた若者がいたことに驚きの色を隠せなかった。

薩摩と長州の出会い

長州の三人が彼らの宿に訪ねてきたのは、それから一週間後の七月二日である。彼ら三人は夕方六時頃やってきて、夜十一時過ぎまで話し込んで帰って行った。留学の顛末から現在の勉学状況まで彼らは詳しく語って聞かせた。予期せぬ長州人の来訪に最初は驚いた薩摩の若者たちも、しばらく話すにつれて、お互いにわだかまりもとけ、薩長という藩の枠を超えて日本人としての意識に目覚めていく。

ところで、彼らは英語と化学の両方において徹底した入学前教育を叩き込まれたようである。長州の若者たちを指導した経験から、ウィリアムが助言したに違いない。六月二十六日にバーフがカレッジへ行き、帰宿後全員に白紙ノートを渡した。このノートに勉強した内容を詳しく記すためである。同二十八日の町田久成の日記に次のような記述が見える。

今日までは書籍がなく、算術ならびに練習用の書物などが夕方に届いた（「町田久成君洋行日記」）。

彼らがテキストを用いて勉強できるようになったのは、六月二十八日からだったとわかる。七月四日、町田は、バーフ、松木とともにカレッジを訪ね、長州の三人に会っている。大学での勉学の様子を実際に見るためであろう。

七月七日、バーフに加え、「グレイン」と「バルリー」と名のる二人の教師が来て英語を教えることになった。このうち、「グレイン」は、やはりこの時期ウィリアムの助手を務めていたチャールズ・グレアム（Charles Graham）のことである。

グレアムは、ケニントンのネスビット化学農学大学を経て、一八六三年にユニヴァーシティ・カレッジに入り、二年間ウィリアムのもとで分析化学を学び、理学士の称号を得た人物である。成績優秀なため卒業と同時に助手に任命され、一八六六年には理学博士の称号を授与された。一八七三年から七八年まで化学教室の助教授を務め、その年に新設された化学工学講座（Chemical Technology）の教授に就任し、一八八九年までその地位に留まっている。

こうして、バーフやグレアムなどから英語や化学の基礎知識を学びながら、一方で薩摩の若者たちは野外見学へ出向く。山尾が同行することが多かった。七月二十五日に、彼らはカレッジのバークベック実験室で山尾と落ち合い、ロンドン塔、武器展示場、それに造船所などを見学している。待合場所が大学の化学実験室であったことは興味深い。畠山は日記に「ケミスト所」とのみ書いているが、室内の諸器械やその最新設備に彼らは恐らく目を見張ったことであろう。

バークベック実験室は、これから彼らが大学で勉学を積み重ねていく上で欠かせない場所となる。そこはウィリアムとその助手たち、指導を受ける学生たちが、昼夜の区別なく集まり討論し研究し実験を繰り返す場であったからである。彼らはここで鍛えられ、近代科学の何たるかを知り得たのである。それにはウィリアムの大学当局に対する大きな働きかけがあった。そのことを示す貴重な資料がユニヴァーシティ・カレッジ・ロンドンの記録室に残されている。評議員会の書記チャールズ・アトキンソンへ宛てた七月二十四日付のウィリアムの手紙である。そこにこう記されている。

十四人の日本人留学生のグループが、彼らに今必要な特設した化学実験の授業を受けられるよう、評議員会の許可をいただければ幸甚に存じます。この若者たちは、化学実験の授業の全課程をこなすことはできませんが、一日に三、四時間だけ勉強しながら一年間授業を受けたいと希望しています。一人当たり十二ヵ月コースで十五ギニー（十五ポンド十五シリング）の授業料でいかがでしょうか。彼らに必要なことはすべて、私の助手たちがしますので、大学としては彼らの教育のために特別な用意をする必要はありません。これらの若い日本人留学生たちは、講義室隣接の実験室で勉強できますから、彼らが化学実験室にいるために、他の学生たちが化学実験室から出なければならないということはありません（From Alexander W. Williamson to Charles C. Atkinson. July 24 1865）。

ウィリアムは薩摩の若者たちの希望に沿う形で、自分の実験室授業を短い期間で受けられるよう大

アレキサンダー・ウィリアム・ウィリアムソン

薩摩藩の留学生が渡英した1865年のウィリアム。

Getty Images

フレデリック・バーフ
Frederick Settle Barff
1822–1886

森有礼旧蔵アルバムより。
名刺判写真。

日本カメラ博物館所蔵

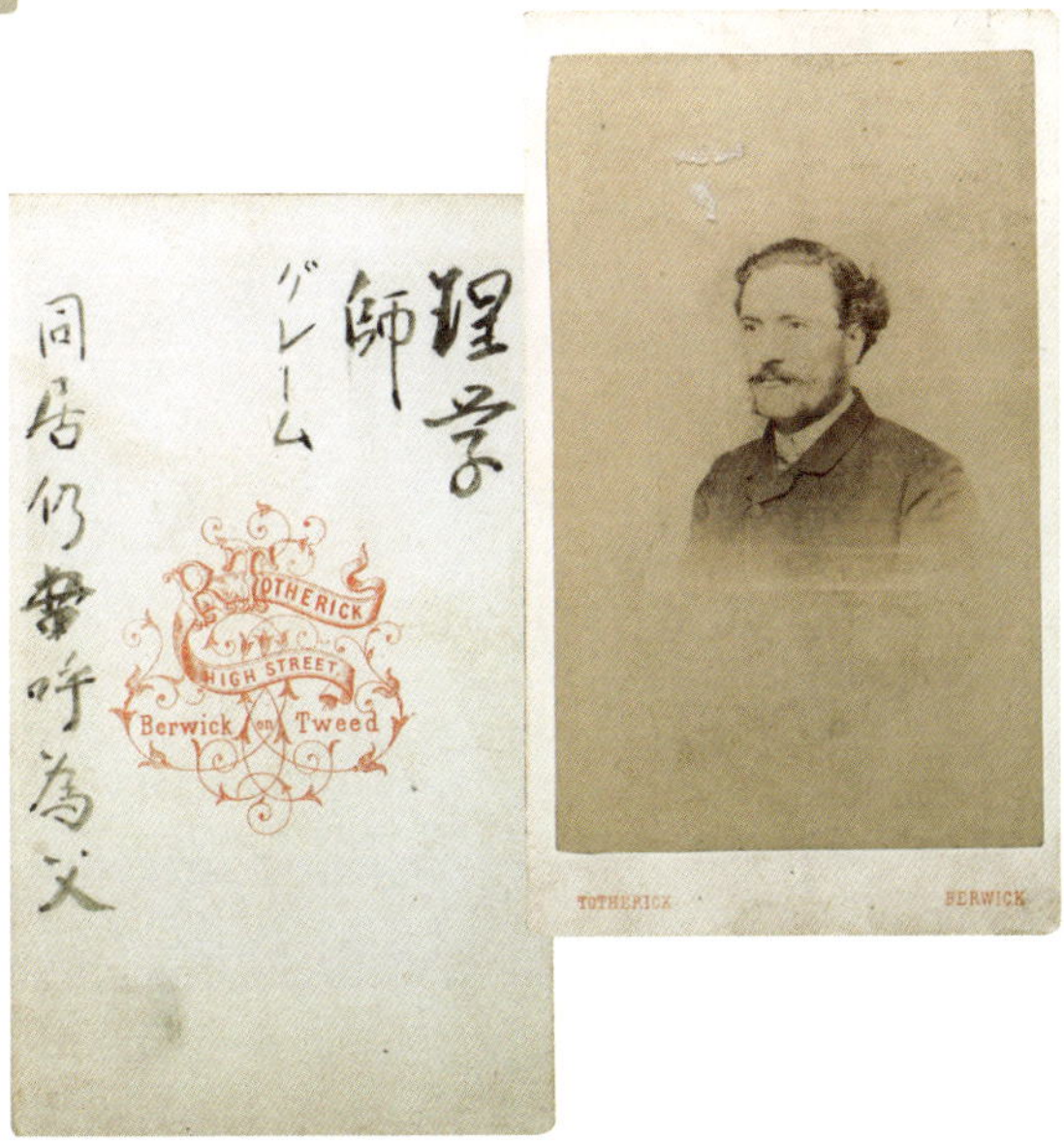

チャールズ・グレアム
Charles Graham
1836–1909

森有礼旧蔵アルバムより。
名刺判写真。

日本カメラ博物館所蔵

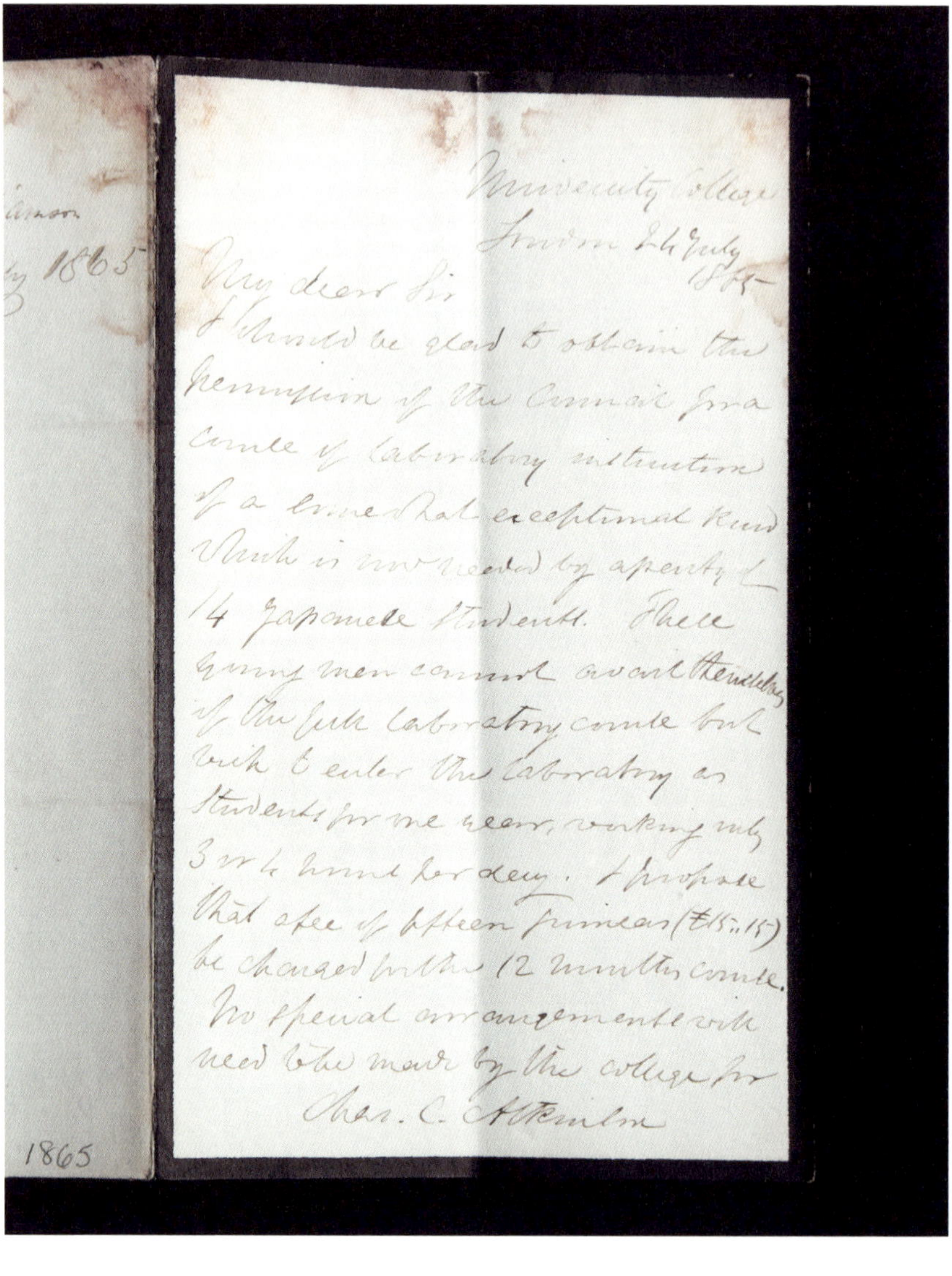
...iamson
...y 1865

University College
London 2d July
1865

My dear Sir
I should be glad to obtain the permission of the Council for a course of laboratory instruction of a somewhat exceptional kind which is now needed by a party of 14 Japanese Students. These young men cannot avail themselves of the full laboratory course but wish to enter the laboratory as students for one year, working only 3 or 4 hours per day. I propose that a fee of fifteen guineas (£15..15) be charged for the 12 months course. No special arrangements will need to be made by the college for

Chas. C. Atkinson

1865

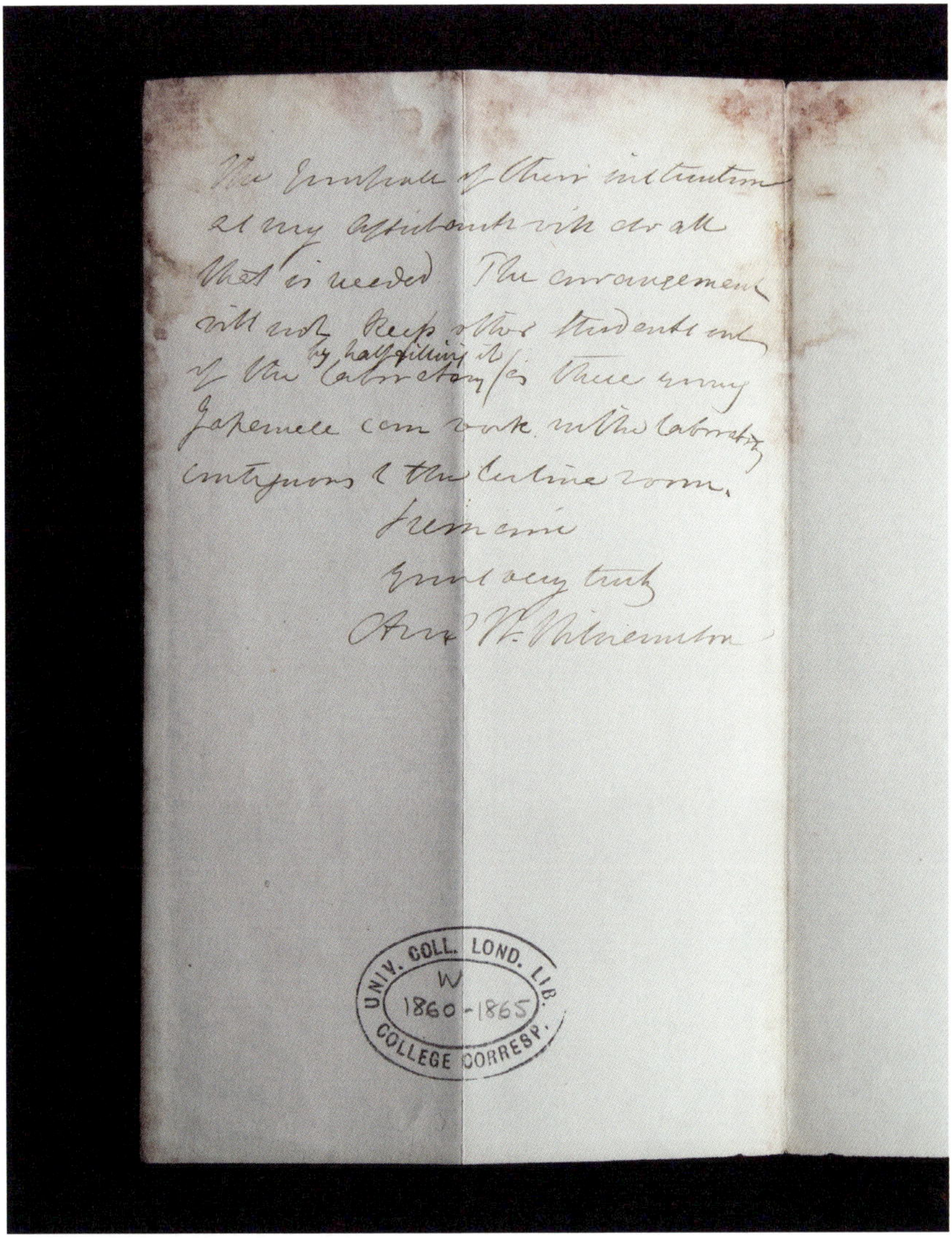

the [illegible] of their instruction
at my assistants will do all
that is needed The arrangement
will not keep other students out
of the laboratory by half filling it as these young
Japanese can work in the laboratory
contiguous to the lecture room.
I remain
Yours very truly
Alex W. Williamson

ウィリアム直筆の手紙－3（部分）

チャールズ・アトキンソン宛（1865年7月24日付）。
日本人留学生のための化学実験授業の特設願い。

UCL Library Services, Special Collections

学当局に特別の計らいを願い出たのである。秋の新学期開始に向けて、ウィリアムは彼らのために大学での準備を着々と進めていた。

ベッドフォードの鉄工所見学

その五日後の七月二十九日、ウィリアムは入学前教育の一環として、彼らを工場見学ツアーに連れて行く。場所はロンドン郊外のベッドフォード（Bedford）にある「ブリタニア鉄工所」（Britannia Ironworks）である。ここは最新式の農業用機械を製造している工場として有名であった。当日は、ウィリアムの先導により、新納、五代、堀の三人の視察組のほか、町田、畠山、名越など六、七名の薩摩藩留学生、山尾、野村の長州藩留学生、それにグレアムやフォスターも参加して大変賑やかな見学旅行となった（The Britannia Ironworks Visitors Book. for 29 July 1865）。

ベッドフォードで彼らはハワード市長をはじめ、市内あげての歓迎を受ける。その日の様子は、「日本人のベッドフォード訪問」（"Visit of Japanese to Bedford"）のタイトルで、八月二日付の『タイムズ』紙面でも報じられた。少し長いが次にその全文を記す。

英国の農業や工業の知識を習得するために、サツマ侯（Prince Satsuma）から派遣された日本人の一団が、土曜日、ベッドフォードのブリタニア鉄工所を訪問した。ロンドン大学のウィリアムソン教授、グラスゴー大学の物理学の教授、ほかに彼らの研究の指導にあたっている優秀な科学者たちが、彼らに同行していた。日本人たちは、体格が蒙古人そっくりで、人々の興味をひいたが、彼らは工場の諸機械および様々の操作過程に非常な興味を示し、種々の細部にまで驚くほどすばやい理解を示した。彼らは、工場を大変離れがたい様子であった。しかし、最新式蒸気鋤の機関が動き出すと、およそ十五名ほどの日本人たちは、地歩を占められる所ならどこへでも殺到して行った。どれほど大喜びで彼らがこの工場の広い敷地を縦横に動きまわったか、それはひどく楽しい光景であった。

ここで約三時間を過ごした後、彼らはベッドフォード市長のジェイムズ・ハワード（James Howard）氏と昼食を共にし、クラパム（Clapham）にあるハワード農園の蒸気鋤の見学に出かけた。彼らの驚きは頂点に達したように見えた。その操作が、考えていたよりもはるかに簡単であることがわかったのである。刈取機の操作も速やかに、しかも器用にこなした。引続き一行は、チャールズ・ハワード（Charles Howard）氏の、有名な短角牛と羊を見学するためにビデナム（Biddenham）を訪れた。そこで市長と晩餐をとった後、ベッドフォード訪問が実に楽しかったことを述べ、英国人たちの親切なもてなしに感謝の意を表して、最終列車でロンドンへ向かった。

日本の若者たちの近代科学に対するすばやい反応とその理解力に、さすがに『タイムズ』の記者も舌を巻いたようである。ウィリアムの学外における実践的授業が、彼らの入学前にすでに効果を現し始めていたのである。

大学教官宅への分宿

八月初め、大学の開講も間近いことから、ウィリアムの勧めで彼らは、二人ずつ分かれてロンドン大学の教官宅にそれぞれ分宿することとなった。経費の節減と教育上の効果を考えてのことである。

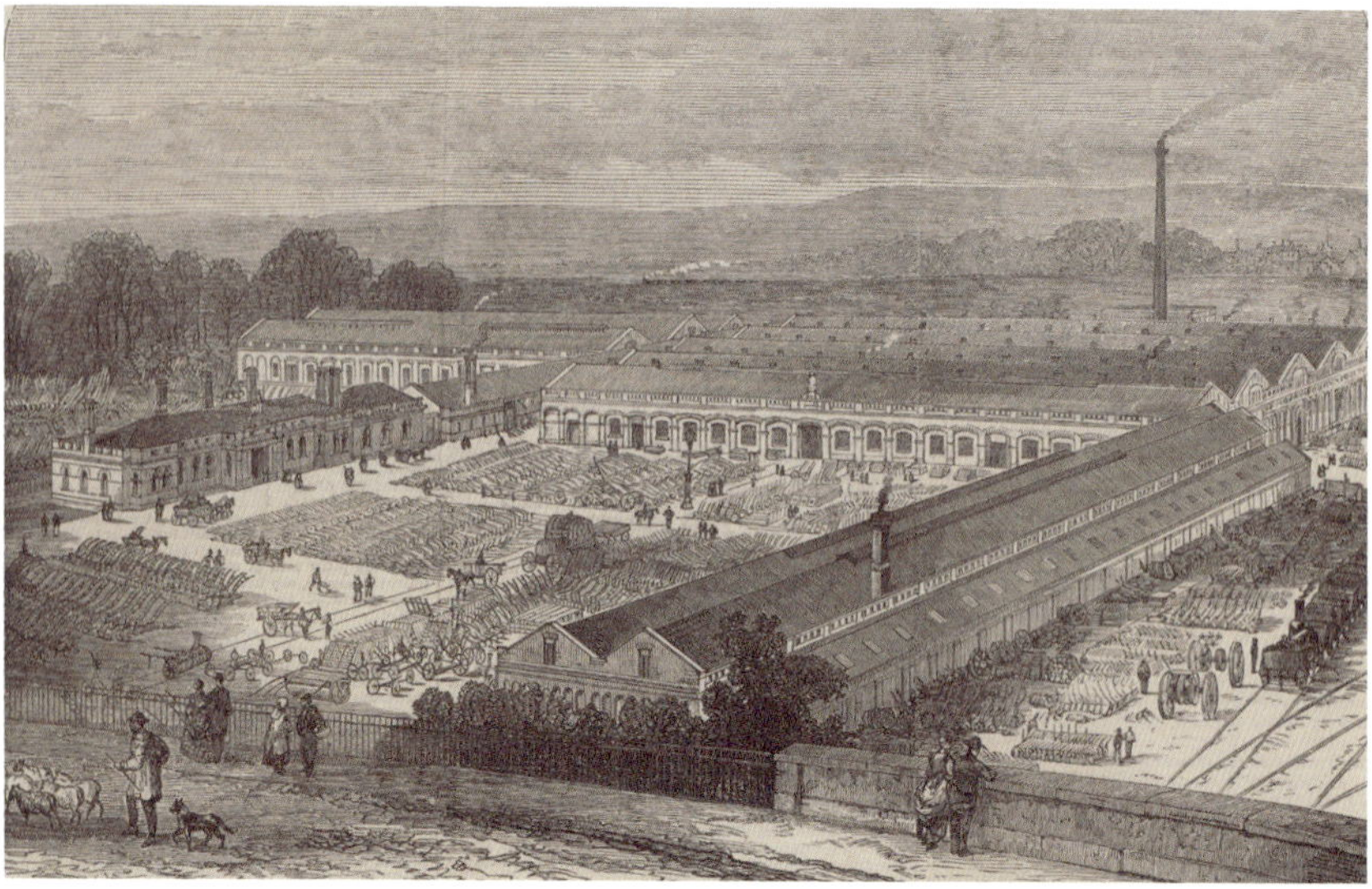

ブリタニア鉄工所（1874年）

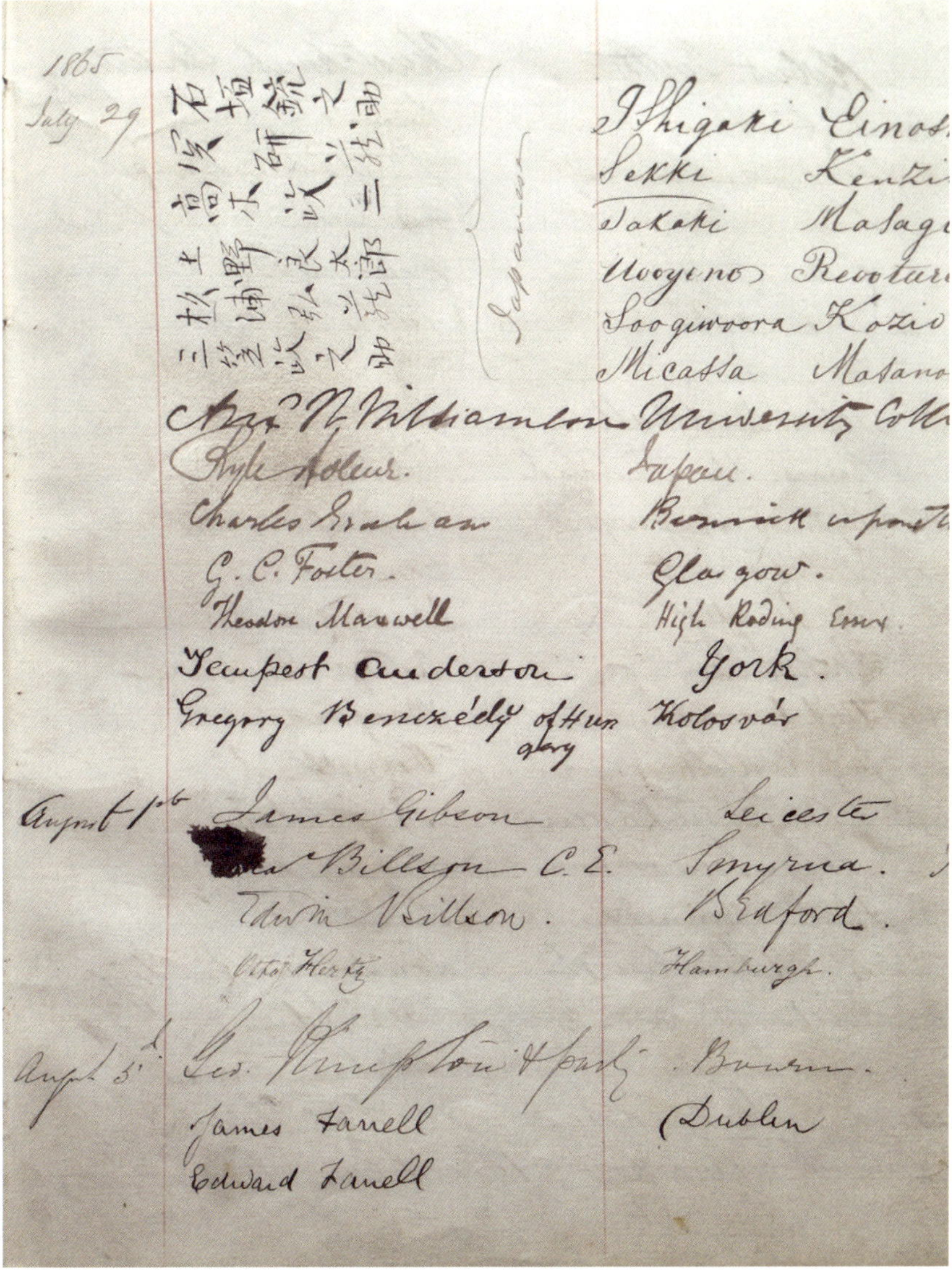

ブリタニア鉄工所訪問記録

ブリタニア鉄工所を訪れた際の日本人留学生の署名（変名）。

その下に、引率したウィリアムをはじめ、グレアムやフォスターらも署名している（1865 年 7 月 29 日付）。

The Higgins Art Gallery and Museum, Bedford

この時、留学生の森有礼が下宿したのはチャールズ・グレアムの家であった。グレアムの写真が森の旧蔵アルバムに残されている。裏には、「理学師グレーム　同居により父と呼びなす」と森自身による書き込みがある。スコットランドとの州境にある河口都市ベリック・アポン・トゥイード（Berwick upon Tweed）の写真館で写されたカルト・ド・ヴィジット（名刺判写真）である。知的で優しいその面持から、森が父と慕って親炙《しんしゃ》したのも頷ける。ちなみにベリック・アポン・トゥイードはグレアムの生まれ故郷である。八月二日からグレアムは、夏休みでその故郷へ戻っているから、森がグレアムの家に移ったのは、恐らく彼がロンドンに戻った八月二十一日以後であろう。

こうした留学生たちに対するウィリアムの格別の配慮に感謝し、新納久脩は、八月四日、年四百ポンドの謝礼金を彼に支払う契約を結んでいる。国もとの大久保たちに次のように報告している。

> ロンドンの大学校先生ウィレムソンという人は非常に人望もあり、ヨーロッパで著名な人物とのこと。彼へホームより依頼したところ、すべて快く引き受けてくれ、実に学生の親代りともいえるような人である。万事請持ちの諸先生へ、何事もよろしく指導していただきたいということで、先月初め頃より追々諸所に二、三人ずつ配宿も決まり、毎日学校へ揃って出かけて、それぞれ相応の業績をあげている。先年からいる長州人とは違い、わが藩からの人々は、いずれも「本式の仕立」であり至極評判もよい。したがって、ウィレムソンへの謝礼も一ヵ年に四百ポンドに決めた。これは実に過分のように思うかも知れないが、何分にもこの国の風習でもあり、それらについては、こちらの思い通りにはならないようだ（一八六五年九月十六日付、『玉里島津家史料』四）。

三人の長州人らと違い、われわれは本格的な留学生（「本式の仕立」）でもあり、大学での評判も至極よい、と誇らしげに語る。長州藩との競争意識が感じられて面白い。大学の先生とは実に偉いものらしいが、その大先生が、学業のことはもとより、わが留学生の面倒をすべて引き受けてくれるというのだから、その権威たるや推して知るべしだ、ともいっている。日本人が、ヨーロッパにおける大学の組織や教授の地位、そのあり方について詳しく知ったのは、恐らくこれが最初であろう。

薩長留学生サークルのはたらき

各々が市内各所の大学教授宅に分散転居したのと時を同じくして、最年少の留学生磯永彦輔（長沢鼎）がスコットランドのアバディーンへ行くことになる。大学に入るには幼すぎたこともあるが、渡航前にグラヴァーと交わした約束がその理由であった。グラヴァーの実家で暮らしながら地元の中学ジムネイジアムに通うというものである。八月十九日、磯永はグラヴァーの兄ジェイムズとともにアバディーンへ旅立った。

実はこの頃、長州の山尾もスコットランドへ行こうと思っていた。山尾はウィリアムの実践的科学

磯永彦輔（長沢鼎）
1852-1934
薩摩藩英国留学生記念館所蔵

教育の影響を多分に受けた留学生の一人で、彼が学んだ科学知識を早く実践の場で活かしてみたい、という強い思いに駆られていた。しかし、ウィリアムの教えを実行に移したくても金がなかった。藩からの送金もとだえ、長州藩の三人は学費に窮していたのである。

ある日、町田久成のところに山尾が訪ねてきた。実は自分もスコットランドのグラスゴーにある造船所で働きながら勉強をしたいと思っているが、旅費がなくて困っている。お金をお借りできまいか、との無心の相談であった。町田は熟考のすえ、藩の金は貸すわけにいかないので、学生各自から一ポンドずつ徴収し、全部で十六ポンドを山尾へ貸し与えたという。異国の地で、藩の枠を超えて日本人としての同胞意識で結びついていく、留学生たちの姿をまことに髣髴とさせるエピソードである。

この年秋には、山尾はグラスゴーに赴き、昼間は同地にあるネピアー造船所で働きながら技術を習得し、夜はアンダーソンズ大学（Anderson's University）に通って勉学に励んだ。山尾はこの時の彼らの恩義を忘れず、グラスゴーに移ってからも、薩摩藩の留学生たちのもとに、たびたび便りをよこした。ロンドンの仲間と遠く離れて、ひとりスコットランドのアバディーンにいる磯永について、元気だから安心するように、との手紙をわざわざ送ってよこしたのも、最年少（十三歳）の磯永の暮らしをつねに心配している彼らを慮《おもんぱか》ってのことであった。

山尾の手紙には、磯永について、グラヴァー家へ直接問い合わせたところ、至極元気でまるで英国の少年のようであり、学校ではつねにトップクラス、定期試験でも優等賞をとっている、との返事をもらったから安心するように、と書かれてあった。そして末文に、自分の新しい住所（177 West Regent Street, Glasgow）を記すことを忘れていない（一八六六年五月三十日付、吉田清成宛書簡、『吉田清成関係文書』三）。彼らの親交は、お互いどんなに遠く離れていようと、その後も決してとだえることはなかったのである。

同じ頃、遠藤は体調がすぐれず床に伏せることが多くなった。肺病であった。マセソンは彼に帰国を勧めた。マセソンはいう。

（井上と伊藤が帰国してから）およそ一年後、遠藤は、肺病の徴候が顕れたため、帰国するよう勧めた。残った二人、山尾と野村は、長足の進歩をとげた。私は、採鉱、造船、その他多くの産業を学ばせるため、彼らをグラスゴー、ニューカッスル、その他の場所へ行かせた。野村は義勇軍の小銃隊へ入隊した。彼らは五年間とどまったあと、すぐれた教育を身につけて日本へ戻って行った（"Memorials of Hugh M. Matheson"）。

ウィリアムの実践的教育に加え、マセソンの援助も多分にあったようである。にもかかわらず、山尾が薩摩の留学生に無心をしたということは、英国人に旅費を出してもらうのはプライドが許さなかったのかも知れない。遠藤は翌年初めにはロンドンを発ち、帰国の途に就いた。

山尾がグラスゴーへ旅立った頃、薩摩の十四名の若者たちは、それぞれ変名でユニヴァーシティ・カレッジへ聴講届を提出した。十月二十一日であった。科目はウィリアムの「分析化学」で、約束通りに一年分の授業料十五ポンド十五シリングが支払われている。三日前の十八日には、長州の野村が「数理物理学」（Mathematical Physics）を受講するため七ポンドを払い込んでいる。

大学における本格的な授業が始まると同時に、薩長両藩の若者たちの間に小さな留学生サークルが生まれる。彼らは、カレッジを取り巻く科学的・実証的な雰囲気の中で、多くの新しい事実を発見し、また国際色豊かな学風に触発されて徐々にその国際的感覚を磨いていった。彼らの教養を培う上で、留学生サークルが大きな役割を担ったであろうことは想像に難くない。サークルの周囲には、つねにウィリアムやホームステイ先のヴィクトリア朝知識人たちの存在があった。それは、アカデミックな

グラヴァー・ハウス

磯永彦輔（長沢鼎）が暮らしたグラヴァーの実家。

写真提供：薩摩藩英国留学生記念館

ネピアー造船所（1861年）

山尾庸三が働いたグラスゴーの造船所。

立場から彼らを指導する人々ばかりでなく、マセソンやグラヴァーら中産階級に属する商人、ローレンス・オリファントのように下院議員として活躍する政治家、画家クーパーのような芸術家の一団も含まれていた。

一八六六年三月七日、薩摩の畠山と吉田が水彩画家として著名なジョージ・プライス・ボイスの家に招かれたのも偶然ではなかった。当時、ロンドンの美術界ではジャポニスムの隆盛期で、ラファエル前派の画家ダンテ・ゲイブリエル・ロセッティ（Dante Gabriel Rossetti）を中心としたジャポニザンの一群が活躍していた。彼らは本物の「日本」を知ることにきわめて熱心であった。日本からの若者たちがロンドンに滞在している情報を耳にしたボイスは、早速二人を家に呼び、仲間のジャポニザンの芸術家たちに紹介した。

畠山と吉田は、ボイスをはじめジョージ・レズリーやロセッティ兄弟たちと親しく言葉を交わし、日本の伝統文化や生活習慣について、またなぜ遠く英国にまで学びに来たかについて彼らに語って聞かせたことであろう。時間が経つにつれ、ロセッティたちは、彼ら日本人留学生たちの中に本質的な「日本」を見出す思いがしたに違いない。それは日本の浮世絵や陶器などの美術工芸品がもつ、あの無垢で純粋な、調和のとれた豊潤な美しさにも似た美的感性を、二人の内に見てとったからである。人工的で俗悪な機械文明に飽きたヴィクトリア朝の前衛芸術家たちにとって、彼らは一服の清涼剤に匹敵する効果をもち得たであろう。政治や外交ばかりでなく、芸術の分野においても、彼ら留学生たちは日本文化の発信者としての役割を担い得たのである。

新たな家族の誕生

一八六五年の年末近く、ウィリアムとエマは、娘のアリスを連れて新しい家へ移った。プロヴォスト・ロードの家から西へ五百メートルほどのところ、フェローズ・ロード一二番地（12 Fellows Road）にその家はあった。これまでの家より比較的大きく、引き続き野村も一緒に住むことになった。薩摩の学生たちも毎月その家に呼ばれたが、その際に野村が給仕役を務めていたというから、住み込みの書生として働いていたのであろう。

この時エマはお腹が大きかったはずである。翌年三月、二人は待望の男の子を授かった。男の子はオリヴァー・キー・ウィリアムソン（Oliver Key Williamson）と名づけられた。オリヴァーは成長してのち科学者となり、一九一一年十二月、四十五歳の時、エディス・ガートルード・エディントン（Edith Gertrude Edington）と結婚しサリー州のファーナム（Farnham）に暮らした。ウィリアムとエマの期待に応え、尊敬される学者として立派な生涯を送ったといわれる。

オリヴァー・キー・ウィリアムソン
Oliver Key Williamson
1866-1941
上 - Williamson Collection / Phoebe Barr
下 - John Fison

ウィリアムソン旧蔵アルバムに収められた野村弥吉（井上勝）の写真

日本人留学生中、野村弥吉と桜井錠二のみ単独の写真が収められている。
最も長く住み込んでいた野村に対するウィリアムとエマの思いの深さがうかがえる。
野村のこの写真は、同アルバムにのみ確認される唯一のもの。
Williamson Collection / Phoebe Barr

フェローズ・ロード

かつてウィリアムやその家族、野村らが歩いた道。

撮影：佐藤暢隆

第五章　ブルックウッド墓地

Chapter 5

Brookwood Cemetery

一八六五年秋。薩摩からの若者たちがウィリアムのもとで本格的に分析化学の勉強を始めた頃、長州から新たに二人の若者がロンドンに着いた。南貞助《ていすけ》（十八歳）と山崎小三郎《こさぶろう》（二十一歳）である。南は長州藩改革派のリーダー格高杉晋作の従弟であり、また高杉家へ養子に入ったため義弟でもあった。南は高杉に勧められて密航を決意、グラヴァーの世話で海軍士官の山崎と一緒に五月下関を発ち、上海から帆船で百三十日かけて英国までやって来た。ロンドンに到着したのは、恐らく十一月に入ってからであろう。二人ともほとんど無金の状態であった。住居《すまい》だけは、かろうじて、山尾が去ったあとのクーパー邸に一室を借りることができたが、朝夕の食事や衣服もままならないほど困窮していた。

困窮の果てに

ロンドンまでは何とか辿り着いたものの、彼らは金もなく全く生活する術《すべ》を持たなかった。ロンドンの冬は寒い。厳しい冬を越すために必要な暖をとる余裕さえなかった。石炭はおろか薪を買う金もなかったのであろう。こうした極貧状態の中で、山崎が倒れた。疲労と栄養失調が原因であった。しかも、彼の体はすでに結核に冒されていた。見かねたエドワード・ハリソン（Edward Harrison）の父が月々二十五ポンドの生活費を援助してくれることになった。ハリソンはグラヴァーの右腕といわれた男で、当時グラヴァー商会の横浜支店長を務めていた。

二人の窮状を見かねて手を差しのべてくれたのはハリソンの父親だけではなかった。野村からこの話を聞いたウィリアムは、エマと相談して山崎をすぐに自分の家へ引き取ることにした。フェローズ・ロードのウィリアムの家に移った山崎は、ウィリアムとエマの二人から実に懇篤な世話を受けたばかりでなく、エマは親身になって彼の看病にあたった。だがその甲斐なく、山崎は一八六六年二月二十六日、ついに病院で息を引きとる。享年二十二歳。死因は肺病であった。

死亡証明書に記された当時の住所はカムデン・ストリート一六六番地（166 Camden Street）、ジョン・ジョーンズ（John Jones）方となっている。南のユニヴァーシティ・カレッジにおける登録住所もMr. Jones houseと記されているところをみると、この時点で彼らはガワー・ストリート一〇三番地から住居《すまい》を変えていたのかも知れない。

日本に戻っていた伊藤は山崎の死を野村からの手紙で知った。書中には、「飢えと寒さ、それに祖国のことを『煩念』したあまり、精神的疲労が重なったすえのことであろう。これからは必ず留学資金の見通しがたってから外国へ人を送るように」とあった。

この出来事は、密航留学という行為が、「志」だけでは実行し難い、いかに至難の業であったかを証明している。薩摩藩のように豊富な資金の裏づけがあってこそ、「留学」は藩事業として成功し、参加する人間の「志」も生きてくるのである。密航留学が「決死行」であることを、山崎はまさに身をもって示した。彼らの留学は藩国家の命運をかけた行為であった。

山崎の遺骸はロンドン郊外ウォーキング（Woking）にあるブルックウッド共同墓地（Brookwood

南貞助
1847-1915
薩摩藩英国留学生記念館所蔵

Cemetery）に埋葬された。三月三日の土曜日であった。その死は地元紙にも小さく報じられた。葬儀にはウィリアムをはじめ留学生全員が出席している。

山崎小三郎——昨年教育上の目的でこの国へやってきた若い日本人士官が死去したことを、残念ながら知らせねばならない。山崎小三郎は長門国の生まれで、同国の大名の家臣である。享年二十二歳、肺病によるものである。遺骸はウォーキングに埋葬され、ユニヴァーシティ・カレッジのウィリアムソン教授および十二名の日本人学生たちが出席して葬儀がとり行われた（*The London and China Express.* March 10, 1866）。

「十二名の日本人学生」のうち、野村と南を除いた残り十名はすべて薩摩藩留学生たちである。自分たちの生活を維持するのに手一杯で、貧困による山崎の死を救えなかった無力さに若い薩摩藩士たちは恥じ入ったに違いない。ロンドンで苦楽をともにしている薩長両藩士たちは、すでに藩レベルでの競争意識を乗り越え、ナショナルな次元に立って物事を考えるようになっていた。彼らは心底から山崎の死を悼んだ。祖国日本の平和と秩序が一日も早く回復されることを願って、彼らは毎日勉学に励んでいた。そうした祖国回復への共通の思いが、両者を太い絆で結びつけていたのである。

客死した若者たち

ブルックウッドの共同墓地は、ロンドン市内の墓地が満杯の状況になったことを受けて一八五二年に設立された「ロンドン共同墓地会社」（The London Necropolis & National Mausoleum Company）が運営にあたっていた。この辺りは、もともとオンズロー卿（Lord Onslow）の所有する荘園で、「ウォーキングの荒野」（Waste of Woking）と呼ばれていた。ヒースが生い茂った荒涼とした場所であったが、十九世紀になって二千二百エーカーほどが公有地として買い取られた。そのうちの約五百エーカー（二百万平方メートル、六十一万坪）が墓地に割り当てられ、一八五四年十一月、「ブルックウッド共同墓地」（Brookwood Cemetery）としてオープンした。

ロンドン中心部からおよそ五十キロほど離れていたこともあり、柩や会葬者たちを運ぶために、ロンドンから墓域内までは鉄道（London Necropolis Railway）が利用された。ロンドン・ウォータールー駅の外側には専用の駅が設けられ、一方の墓地内には北駅、南駅が作られた。広大な敷地の北側は非国教徒用、南側は国教徒用として、それぞれ墓域が分かれていたためである。したがって、各教徒用に二つの教会が隣り合って建つという奇妙な光景も見られたという（John M. Clarke. London's Necropolis: *A Guide to Brookwood Cemetery*.）。

墓域内は現在でも樹木が鬱蒼と生い茂り、自然のままの景観を見せている。ここが当時「ブルックウッド荒地」（Brookwood Heath）と呼ばれていたのも頷ける。開園当初の墓域内の地図を見ると、山崎の墓は、南駅（South station）を降りて、南へまっすぐ延びた聖アウグスティヌス通り（St. Augustines Avenue）を歩いて行くと、突きあたり左側の墓域（Plot 39）にある。

山崎の墓石は現在もむろんそこにある。碑銘はかなり風化して判読困難な個所もあるが、中央に刻まれたYAMAZAKIの文字だけは、はっきりと読み取れる。碑銘は日英両文で刻まれているが、日本文は正面向かって左側に「山崎小三郎之墓依テ朋友立ツ」と記され、右側には「日本海軍之士任臣毛利氏亨千八百六十六年三月三日死行年二十二」と読める。そして中央に英語で「In Memory of YAMAZAKI of Japan Naval officer in the service of Prince Chosiu who departed this life 3rd March 1866 aged 22

ブルックウッド墓地の風景

撮影：佐藤暢隆

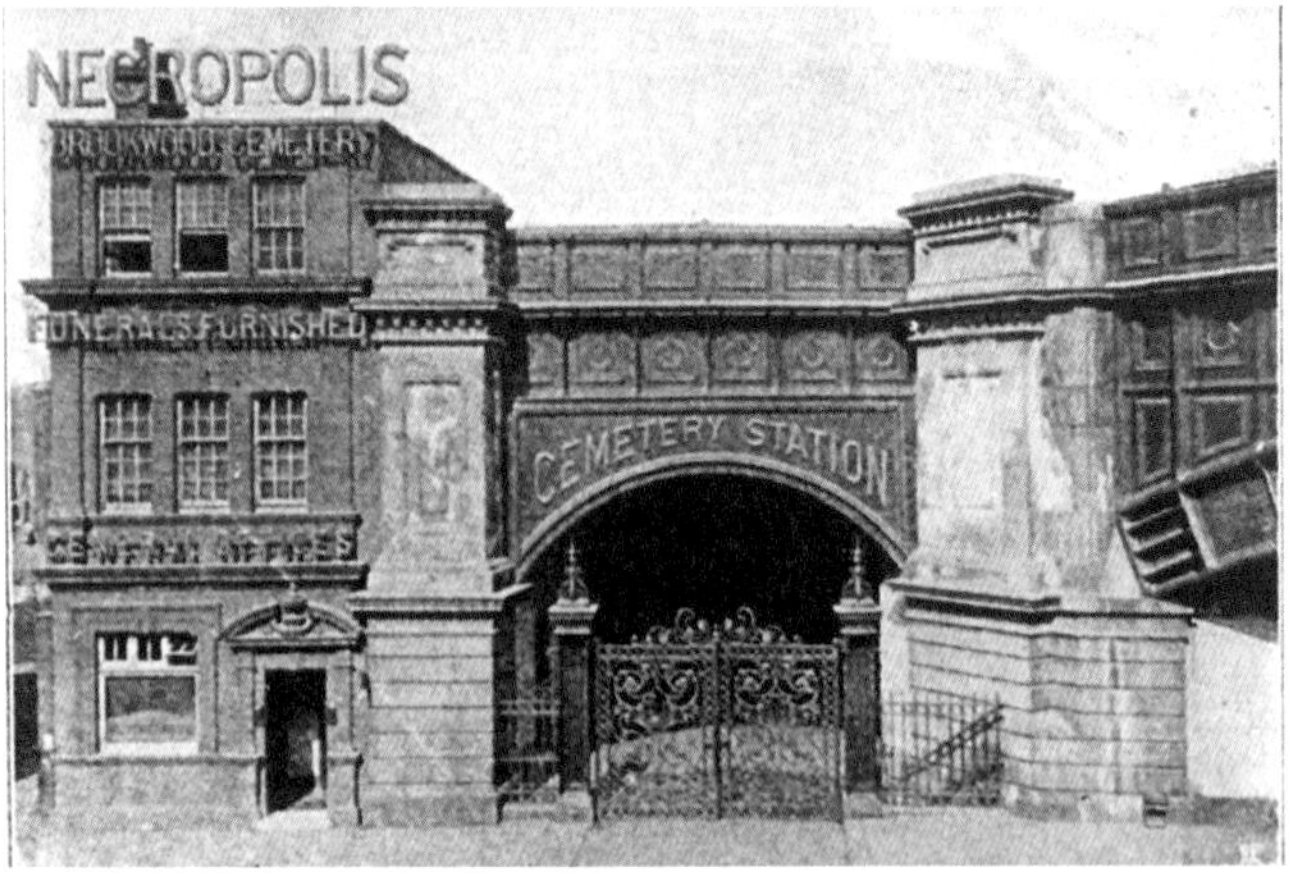

ロンドン・ウォータールー駅外側に設けられた
ロンドン・ネクロポリス鉄道の専用駅

John Clarke Collection

ブルックウッド南駅

鉄道が運行していた当時の南駅。英国国教会のチャペルが隣接している。
John Clarke Collection

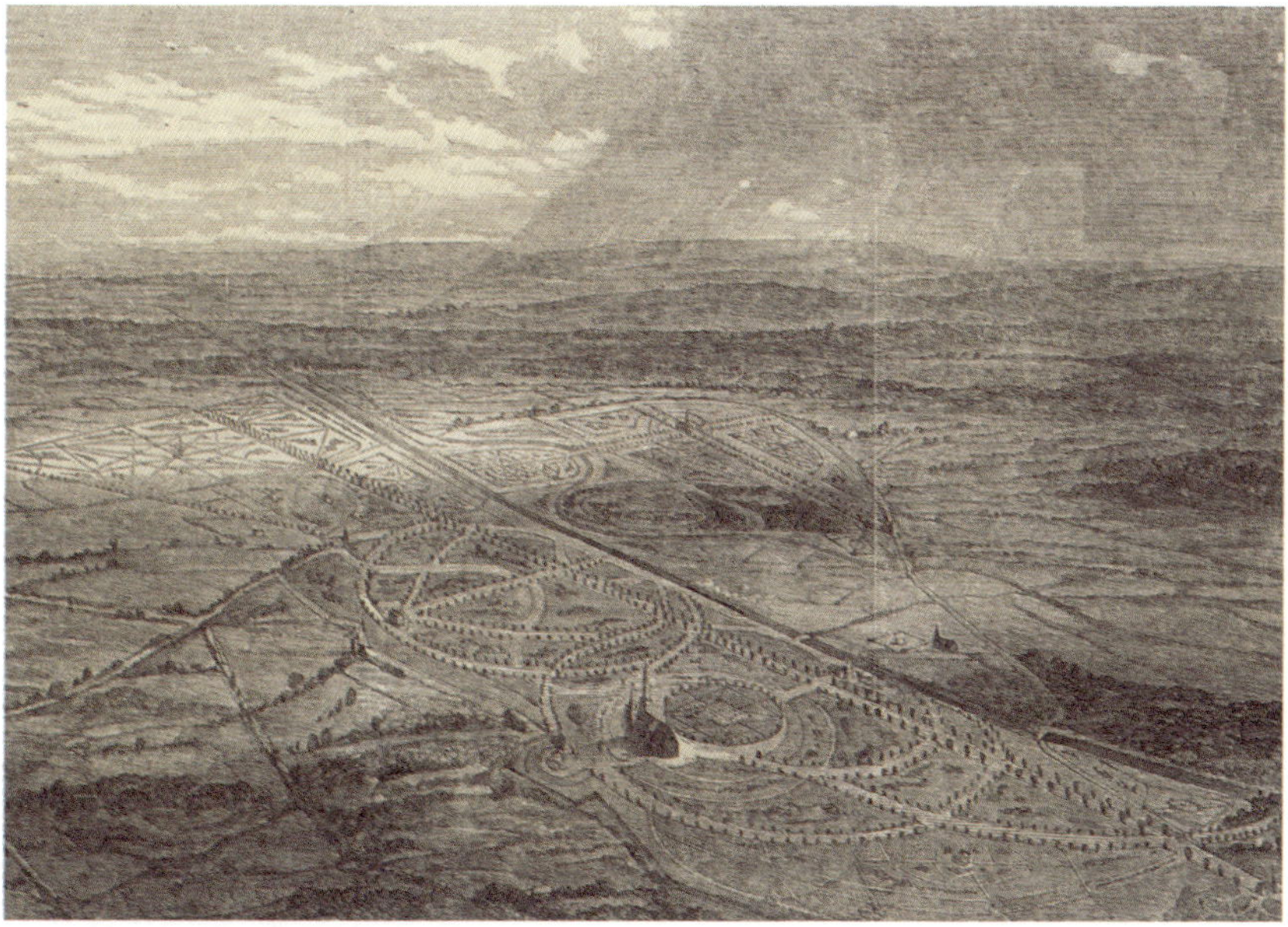

ブルックウッド墓地鳥瞰図（1852年）

years. This stone is erected by his fellow countrymen」と刻まれている。日本語の記入は英文刻印後のように見える。

当時、南側の墓域は国教徒専用の埋葬場所であったことを考えると、山崎の死は周辺の英国人たちに特別の意味をもって迎えられたのではないだろうか。彼を一等地に丁重に葬ることで、英国人たちが山崎の祖国である日本へ尊崇の気持ちを表そうとしたのかも知れない。そこには恐らく、山崎の看病にあたったウィリアムとエマの強い気持ちが働いていたに違いない。

山崎の死をきっかけに、その後ロンドンで不遇のうちに病死した三人の日本人の若者たちが、彼の墓の傍らに次々と埋葬された。各々時間の違いはあるが、三人について少し紹介しておきたい。

山崎の背後に徳山藩士有福次郎の墓が立つ。徳山藩は長州の支藩で、有福は銃隊司令官を務め、戊辰戦争では大坂城攻めの先駆けとして勇名を馳せたという。一八六八年四月、藩主世子毛利元功《もといさ》の英国留学に扈従《こじゅう》して渡英するが、英国に着いてわずか五十余日後の八月十三日、ロンドンのハイブリー・ニュー・パーク（Highbury New Park）のグロヴナー・ロード五〇番地（50 Grosvenor Road）において二十二歳で病死している。碑銘には、元功が命じてこの墓を作ったとある。ブルックウッドには翌日（十四日）に埋葬されている。

有福の右隣に寝棺形の墓石。土佐藩士福岡守人《もりと》のものである。碑銘は英文のみ。マタイ伝の一節がとりわけ目を惹く。福岡は、幕末土佐藩の藩政改革に尽力した開明派家老福岡宮内《くない》（健三）の息子で、一八七一年十一月、藩命により同藩宿毛《すくも》領主伊賀陽太郎《ようたろう》とともに英国に留学した。留学中に結核に冒され、一八七三年三月三日、ハムステッド（Hampstead）のキング・ヘンリーズ・ロード三七番地（37 King Henry's Road）の寄宿先で死去した。行年二十一歳。寄宿先の家は、ウィリアムの住むフェローズ・ロードとは、アデレイド・ロード（Adelaide Road）を挟んで南側、目と鼻の先である。ブルックウッドには二日後の五日に埋葬された。「信仰という真実を熱心に探し求めていた」という碑文は、福岡が紛れもなくキリスト教の求道者であったことを物語っている。

一番右端に立つのは、佐賀藩士袋久平《きゅうへい》の墓石。有福のそれとほぼ同じ墓形、石材である。袋は佐賀藩領多久家の家臣、古賀静脩《せいしゅう》の弟で、若くして長崎の米国人宣教師フルベッキの許で英学を修めた俊秀であった。一八七一年十月、志波虎二郎《とらじろう》ら本藩の仲間数名とともに藩留学生に選ばれプロシアへと旅立つ。ベルリンで勉強中の一八七三年秋、これも福岡と同じく肺結核に冒され修学を断念。帰国の途次、十一月二日にロンドンのノーザンバーランド・プレイス二八番地（28 Northumberland Place）で客死した。行年二十四歳であった。「尊敬すべき勤勉なその人柄を讃えんがため、彼の死を悲しんだ友人たちの手で、この記念碑は建てられた」と、墓石に英文で刻まれている。ブルックウッドの墓地に埋葬されたのは、二日後の十一月四日であった。

「ロンドン共同墓地会社」の記録によると、四人とも墓石は上等クラス（First Class Private Grave）で、それぞれ二ポンド十シリングが支払われている。また葬儀代は、山崎が最も高く二十一ポンド八シリング、ついで袋の十九ポンド九シリング、福岡の十二ポンド十四シリング、有福の十ポンドの順になっている。彼らの遺骸がいかに丁重に扱われたかを知ることができる。彼らの遺体はロンドンから汽車でブルックウッドの南駅まで運ばれ、祖国の友人と彼らにゆかりの深い英国人たちの手によって、厳粛なうちにもしめやかに葬儀が執り行われたに違いない。駅に隣接する国教会派の教会（Church of England）の司祭が協力したのであろう。

福岡と袋の埋葬には初代の駐英公使寺島宗則（松木弘安）も関係していたかも知れない。寺島は留学時代、薩摩の若者たちのリーダー格でもあり、ウィリアムとも旧知の間柄であったからである。一八七二年八月十一日に着任し、翌年八月二十七日にはロンドンを離れているから、福岡の葬儀には

ブルックウッド墓地に佇む4人の客死留学生の墓

撮影：佐藤暢隆

長州藩士・山崎小三郎の墓碑

撮影：佐藤暢隆

徳山藩士・有福次郎の墓碑

撮影：佐藤暢隆

土佐藩士・福岡守人の墓碑

撮影：佐藤暢隆

佐賀藩士・袋久平の墓碑

撮影：佐藤暢隆

袋久平
1849 - 1873

4人の客死留学生中、
唯一写真が遺っている。

個人所蔵

出席していた可能性が高い。日本がロンドンに最初に設けた公使館は、ヴィクトリア中央駅の北東、閑静な住宅街の一画、ベルグレイヴ・ストリート九番地（9 Upper Belgrave Street）にあった。生前、福岡もここを訪れ、寺島に会っているはずである。生前の二人を知る寺島にとっても、彼らの異郷における死は、かつての山崎の事件を知っていただけに人ごととは思えなかったであろう。

国費による留学制度

寺島は英国へ派遣されるにあたって、新政府から海外留学生の実態調査と、不適格者の召還を命じる権限を与えられ、訪英中の岩倉使節団の副使伊藤博文（俊輔）らと協議を重ねていた。この結果、寺島は留学生たちの早急な整理と規律の厳格化を強く主張、十一月二十八日（和暦十月二十八日）付で「外国留学生規則案」を作成し本国へ送っている。

伊藤も別途、文部卿の大木喬任《たかとう》や井上馨に宛てて留学生に関する意見書を十二月四日（和暦十一月四日）付で送っているが、その中でチャールズ・グレアムについて触れている。次のような内容である。

ロンドン学士「チャルレス　クラハム」氏はわが国の留学生たちを親しく教授し、またその弊害を嘆いて、その体験から考案したものを論述した。それによると留学生たちの学業を進め、修学する方法を「一洗」して、国家の実務に役立つようにすることを望んでいる。その論説は憶測の域を出ていないとはいえ、その要領はすべて自分が意図しているところと同じである。したがってそれを翻訳して送るからぜひ参考にしてほしい（『伊藤博文伝』上巻）。

伊藤もグレアムも、現行の制度では留学生が成功するか否かは、その人間が運がいいかどうかにかかっている（「万一の僥倖を偶然に期するに過ぎざるべし」）、と見る。だから、これから留学生を派遣するにあたっては、人物の学力と資質を充分に調べた上で選ばなければ国家の役には立たないだろう、というのが二人の意見であった。

ウィリアムの高弟をもって任ずるグレアムは、薩摩の若者や他の日本の留学生たちを教えた経験から、将来の日本を背負う若者たちにもウィリアムが推奨する実践的な科学精神を学んでほしかったのである。そのためにも優秀な日本人学生が数多くユニヴァーシティ・カレッジへ来てくれることを望んだ。

寺島、伊藤、グレアム、それに初代駐米公使となっていた森有礼らの意見を踏まえて、新政府は一八七三年三月十八日、新たに改定した「海外留学生規則」を発布。ここに国費による文部省派遣留学生の基礎が築かれることとなった。明治維新後における日本の海外留学生政策は、ウィリアムの教えを直接に受けた薩摩、長州、英国の若者たちの貴重な体験を基に始まったといっても過言ではない。

彼らの胸中にはブルックウッドに眠る四人の日本人留学生たちの無念の想いが、大きく影を落としていたに違いない。ブルックウッドの墓地は、そうした意味においても、日本の近代化を志した留学生たちの大切な原点として深く日本人の胸に刻み込まれる場所となるはずであった。だが、激しい時代の動きとともに、ブルックウッドそのものが、日本人の記憶からしだいに遠のいていくこととなる。

視察組の帰国

ブルックウッドで山崎の葬儀が営まれたふた月ほど前に話を戻す。

薩摩からの留学生たちが大学生活にようやく馴染み始めた一八六六年一月中旬、新納久脩、五代友厚、それに堀孝之の三人がヨーロッパでの任務と視察を終え帰国することになった。彼らはロンドンを離れるに当たって、一月三十一日付で、ウィリアムとの間に、留学生らの後事を委託する旨の契約を取り交わし、改めてその教育援助を依頼した。出船までの旬日をパリで過ごすため、再びフランスに渡った三人は、同地でフランス人貴族のシャルル・モンブラン（Charles comte de Montblanc）と会見を重ね、二月六日、ベルギーとの「貿易商社設立契約」に関する覚書を交わしたあと、二月十一日（慶応元年十二月二十六日）、マルセーユを出帆、帰国の途についた。

一方、英国外務省との間で外交交渉にあたってきた松木弘安は、一八六六年三月下旬以来、両三度ほどクラレンドン外相（4th Earl of Clarendon）と会見し、日本の政治改革に対する英国政府の積極的な援助を求めた。一応の外交的成果をあげ得たと判断した松木は、新納たちより遅れること三ヵ月の五月十二日（慶応二年三月二十八日）、留学生の一人村橋久成とともにやはりマルセーユより乗船し帰途についた。

欧州見聞で培われる国際観

一八六六年夏のロンドンは、ヨーロッパ大陸で始まった普墺《ふおう》戦争の話題で持ちきりであった。シュレスヴィッヒ・ホルシュタイン問題に端を発したこの戦いは、小ドイツ主義のプロシアと、大ドイツ主義のオーストリアとの対立に起因する、ドイツ統一をめざした不可避的な武力抗争であった。六月に南ドイツ方面へのプロシア軍の侵入で始まった戦いは、近代的な装備と作戦力で優るプロシアが各地でオーストリア軍を撃破し、七月末には大勢が決した。八月二十三日、オーストリアとの間で平和条約が結ばれ、プロシアの勝利が確定した。

留学生たちが学ぶカレッジ内でも、プロシアの勝利が大きな論議を呼んでいた。クリミア戦争でロシアが敗退したあと、ヨーロッパ大陸におけるフランスの動きに警戒していた英国は、ドイツ最大の強国といわれたオーストリアにプロシアが勝利したことで、これまでの大陸政策を根本的に転換する必要に迫られていた。

普墺戦争が激しさを増す中、カレッジは学年試験を終え、夏季休暇の季節を迎えた。薩摩の留学生たちは、これを機に約半数が帰国することになった。大世帯による留学生活には多額の経費を必要とした上、藩からの送金も途絶えがちとなり、勉学に支障をきたし始めたからである。前年末にフランス語を勉強するためにパリへ移った田中静洲と中村博愛の二人を除き、残り十二人（村橋はすでに帰国）のうち、この時帰国を決意したのは、名越時成、東郷愛之進、高見弥一、町田申四郎、町田清蔵の五人である。

名越、東郷、高見、町田申四郎の四人は六月二十二日（和暦五月十日）にロンドンを離れ、しばらくパリのモンブラン邸に身を寄せていた町田清蔵だけが八月上旬（和暦六月下旬）にひとりマルセーユから帰国した。

一方、残留組のうち、町田久成は督学の立場から留学生たちの学事全般の統轄にあたったが、スコットランドで勉学を続けている磯永彦輔以外の五人、すなわち畠山義成、森有礼、鮫島尚信、吉田清成、市来勘十郎たちは、夏季休暇を利用して、見聞を広めるためヨーロッパ各地へ旅行を試みることになった。

普墺戦争後におけるヨーロッパ列強の情勢を詳細に見聞することは、彼らにとっても最大の関心事であった。この夏休みは、それを実現させる好機でもあったが、彼らを手助けしたのはウィリアムやエマ、それにオリファントやグラヴァーといった周辺を彩るスコットランド出身の知識人たちであった。

前年の十月、留学生の森は、祖国の兄に宛てて次のような手紙を書いた。

いずれ人間というものは、一度は世界を見て巡らなければ十分の大仕事はできないと考えています。私にもまだよくわかりませんが、この度の渡海以来、魂魄《こんぱく》が非常に変化して自分ながら驚いております。私は第一に勉強しなければならないのは、人物を研究することと考え、始終気をつけて汚魂《おこん》を洗濯するよう心がけております（一八六五年十月二十日付）。

英国に留学してからの自分の精神的な変化に驚く。これからは人間について知ることで封建的、因襲的な精神を洗い流そう（「汚魂の洗濯」）と決心する。ついで後便（一八六六年一月十九日付）では、国を改革する「力」をどうすれば人間は身につけることができるのか。それは世界を周遊し、その国体はもちろん、人情、風俗をつぶさに観察することである。そうすることで人は自分を変えることができる。以上のように述べている。

祖国改革の力は、自己変革に求められるに違いない。そう信じて森は日々精進に励む。科学的、実証的な教育環境の中で、多くの優れた教授や親切な友人たちに囲まれながら、森とその仲間たちは、ラディカルな実践的教育、思想をたたき込まれていった。それはまさに、自己を根本から変革するにふさわしい、理想的な環境であった。

こうした決意を胸に、森と市来はロシアに、鮫島と吉田は米国に、そして畠山はフランスへと、それぞれ旅立って行った。彼らの旅は実に有意義なものであった。一ヵ月に及ぶロシア旅行を終えてロンドンに戻った森は、再び兄へ手紙を認め、こう記した。

現在の日本の人々はだんだんと外国のことを知るようになり、ようやく洋学を勉強する者も多くなりましたが、そのほとんどの者たちが西洋の学芸・技術（「末の技学」）を学ぶことばかりに熱心で、国の基本となる学問（「本《もと》」）を知りません（一八六六年九月四日付）。

ここで森のいう「本の学」とは、具体的には法律学を指す。法律は国の大本であって、法律が明確でなければ治国安民の政治は決して行うことができない、と彼は考える。しかし、その後、森は「本の学」が法律そのものではなく、それを律している精神であり、モラルであることに気づく。そして、以後の森は、この精神やモラルの根底にあるもの、すなわち「西洋の真髄」をつきとめるための努力を始めることになる。

今回の旅で、森と市来はロシアを国際的道義に悖《もと》る不義不法の後進国との確信を得て帰英、鮫島と吉田は米国の民主主義政治を称揚し、畠山はフランスのナポレオン三世による帝国主義政策を批判した。国際的道義の有無によって国家の優劣を判別し、世界の大勢を見極めようとする彼らの国際観は、この時に形造られたと見てよい。むろん、そこには人道主義者オリファントや、コスモポリタンとし

森有礼
1847-1889
ロシア滞在中（1866年）の写真。
薩摩藩英国留学生記念館所蔵

てのウィリアムの影響も多分に見て取れる。

科学と技術の融合をめざして

夏休みも終わり、一八六六年十月、薩摩の留学生たちにとって第二年目の学年が始まった。畠山、森、鮫島、吉田、市来の五人は、ウィリアムの分析化学に加え、ジョージ・フォスターが担当する「物理学実験」(Physical Laboratory) の授業をとることにした。受講料九ポンド九シリングが払い込まれた。フォスターの名前はこれまでもたびたび登場しているが、彼の経歴を改めて述べておく。

フォスターはウィリアムの助手を数年務めたあと、一八五八年にベルギーのヘント大学へ赴き、ウィリアムの親友でもあるドイツ人の化学者フリードリヒ・ケクレのもとで学び、ついでパリ大学、ハイデルベルグ大学へ移って研究を続け、一八六二年にグラスゴーのアンダーソンズ大学で自然哲学(Natural Philosophy) の教授職に就いた。フォスターはウィリアムが最も高く評価していた弟子のひとりであった。彼は英国内に当時はなかった実践的な物理学の教育体制を整えたいと考えていた。物理学にも化学と同様、体系的な実践的教育が必要であった。ウィリアムはこの意見を支持してフォスターをロンドンへ呼び戻し、一八六五年にユニヴァーシティ・カレッジに開設された「実験物理学」(Experimental Physics) の教授に推薦した。彼はカレッジに戻ると、一八六六年度から「物理学」(Department of Physics) の講座を新たに作って、自らその教授職に就任、一八九八年まで三十三年の長きにわたって学生を指導した。その後、一九〇〇年から一九〇四年までユニヴァーシティ・カレッジの初代学長 (first principal of the College) を勤めている。

薩摩の若者たちがベッドフォードの鉄工所を見学した時、フォスターも同行したことを述べたが、当時彼はまだアンダーソンズ大学の教授であった。引用した『タイムズ』の記事では、ただ「グラスゴー大学の物理学の教授」とのみ記されている。

一八六六年度からウィリアムは、このベッドフォードの鉄工所見学の時の経験を活かして、他の学生たちのためにも同じような科学工場見学を、正式にカリキュラムに取り入れた。薩摩の留学生たちが機械と技術が活用されている実際を見て熱狂した様子は、ウィリアムに大きな刺激を与え、科学技術は現実の工場現場でのみ教えることができる、という彼の教育方針を確かめる上でも貴重な体験となったはずである（Yoshiyuki Kikuchi, op. cit.）。

科学と技術の融合をめざしたウィリアムの教育方針は、確実に彼の弟子たちに受け継がれていた。フォスターの実験物理学しかり、グレアムの化学工学（Chemical Technology）しかり、である。グレアムの講座はのちに応用化学（Applied Chemistry）と名称を変える。薩摩の学生たちと彼らを指導する助手グレアムとの間で、第二年目の科目を選択する際に意見の相違があったにもかかわらず、彼らは大いに譲歩して、グレアムの助言にしたがい、第一に科学の科目、次に技術的な科目を選択したという（Yoshiyuki Kikuchi, op. cit.）。実社会で役立つ技術を習得する以前の応用力を養うためであったと思われる。

ジョージ・ケアリー・フォスター
George Carey Foster
1835-1919
UCL Library Services, Special Collections

一八六六年度において、ユニヴァーシティ・カレッジで学んでいたのは、薩摩の五人のほかに長州の野村だけである。南は山崎の死後、ウィリアムの分析化学を聴講していたが、その後ウーリッチ（Woolwich）へ赴き私塾に通って陸軍の予備教育を受けていた。だが、学資の欠乏によりこの年秋には帰国を余儀なくされる。一方、野村のカレッジにおける勉学は順調に進んでおり、数理物理学や地質鉱物学を学びつつ、一八六七年夏頃からニューカッスルへ赴き、鉱山や鉄道の技術習得に励んでいた。野村はウィリアムの教えを忠実に守り、祖国に役立つための実際的な応用力を身につけるべく努力を重ねていた。

国際社会の現実

一八六六年末から翌年にかけて、英国社会は新しい時代を迎えようとしていた。労働者階級の権利を獲得するための運動が大きく動き始めていた。一八六五年に発足した弁護士のエドマンド・ビールズ（Edmund Beales）を会長とする「改革同盟」は、ロンドンの群衆と熟練工たちを選挙権獲得運動へと駆り立てた。自由貿易主義者の下院議員ジョン・ブライト（John Bright）も自由党々主のグラットストーンを支持しつつ、選挙法改正に向けて労働者階級の組織化を図った。進歩と繁栄の時代において、最大の政治改革といわれた第二次選挙法改正が英国議会で可決成立したのは、一八六七年八月であった。財産を持たない都市労働者階級にも選挙権が与えられることになった。大衆民主主義の到来であった。ドイツ人カール・マルクス（Karl Heinrich Marx）が、労働者運動の理論的根拠となる『資本論』第一巻を出版したのもこの年であり、九月には第一インターナショナル（国際労働者協会）の第二回大会がスイスのローザンヌで開かれた。

フランスでは四月一日からパリ万国博覧会がシャン・ド・マルスを会場に華々しく幕を開けた。積極的な外交政策を展開していたナポレオン三世は、この万国博覧会を開催するにあたって、欧米先進諸国だけではなく、中近東や極東、南米の後進諸国に対しても広く出品参加を呼びかけた。彼の呼びかけに応じて出品参加を表明した国々は多く、その中には日本の名前もあった。日本からは幕府を中心に、薩摩藩や佐賀藩から特産品が運び込まれ、会場には日本専用の展示スペースも設けられ、各藩から使節団も派遣された。博覧会を機に、日本からも多くの渡航者の姿が見られるようになった。

薩摩の留学生たちも、勉強の合間を縫って時々パリの会場まで足を運び、藩の使節たちと会合を持ったり、見物に出かけたりした。様々な人々との交流や各国の数々の展示品を通して、彼らは大学では学ぶことのできない国際社会の現実を自らの目で確かめることができた。督学の町田久成が、薩摩藩の使節と一緒にマルセーユから帰国の途に就いたのは五月十二日（和暦四月九日）であった。

ジョン・ブライト
John Bright
1811-1889

パリ万国博覧会に派遣された薩摩藩使節と英国留学生

後列左から市来勘十郎、鮫島尚信、吉田清成、中村博愛。
前列左から、蓑田新平（使節）、森有礼、市来政清（使節）、畠山義成。
ロンドンにて撮影。

鹿児島県立図書館所蔵

パリ万国博覧会の公式鳥瞰図（1867年）

Courtesy of the Library of Congress

国際情勢の動きとともに、祖国日本の変革も予断を許さぬ状況にあった。時勢は、王政復古の流れに乗って、「討幕」へと動き始めていたのである。

町田久成が帰国したことで、ロンドンに残った薩摩の留学生たちの中には、大学で勉学を続けることに疑問を感じる者も現れ始めた。すぐに自分たちも帰国して、祖国の危急を救う手助けをする必要があるのではないかと思ったのである。煩悶する彼らに指針を与えてくれたのは、下院議員のオリファントであった。五人をたびたび自宅に招いて、国際情勢を述べるとともに、自分の信奉する米国の宗教家トーマス・レイク・ハリス（Thomas Lake Harris）についても語り、信仰の形で祖国の急を救う道を説いた。

奇しくも、町田がマルセーユから帰国した同じ日、五月十二日の夕刻、オリファントは五人の若者を、時の人である下院議員ジョン・ブライトに引き会わせた。年の差はあるものの、ブライトはオリファントにとって親しい友人のひとりであった。ブライトは自らの日記で彼らの印象をこう語っている。

クラレンス・ゲイト（Clarence Gate）近くでローレンス・オリファントと夕食。若い日本人留学生五人と会い、大変楽しい夕べを過ごした。彼らはがっしりとして聡明な人々である。英国人のように背は高くないが、がっしりとした体格で普通の人よりも幅広く、力強い頭を持っている。東洋的な眼と高いほお骨、それにわずかに黒味を帯びた肌ではあるが、その中の一人は英国人よりも明るい肌色をしており、もう一人の手は普通の人よりもかなり色白である。……この若者たちは紳士的（gentlemen in manner）で、振る舞いにおいても、知性においても、いかなる英国社会にも適応できるであろう（"The Diaries of John Bright."『新修森有礼全集』別巻四）。

この時、ブライトは、彼らの語る宗教家ハリスの教義と信仰による建国の理想を聞いて、彼らがキリスト教を本当に理解できたのかどうかを疑わざるを得なかった。

それからひと月後の六月二十三日、森有礼と鮫島尚信は、岡山藩の留学生花房義質《よしもと》とともどもリージェント・パークにあるオリファントの家に招待された。食後のくつろいだ雰囲気の中で、オリファントは熱っぽく語り始めた。

> 現今、列強諸国はただ利益のみを追い求め、「私」を完遂させることに集中し、その非を改めようとしない。最後は自滅しかないであろう。英仏は現在盛大を誇ってはいるが、上の者も下の者もいずれも利欲に走り、「奢侈《しゃし》の病」（ぜいたく病）がすでに身についてしまって、もはや治療の余地はない。その他のヨーロッパ諸国にはよい国もあるが、いずれも「病余の人」である。「筋力」はなお強いが、「気力」はすでになく使用不可能である（花房義質『為卿外遊記』、五月二十一日の項）。

トーマス・レイク・ハリス
Thomas Lake Harris
1823-1906
日本カメラ博物館所蔵

国際的道義をも顧みず、ひたすら自国の利潤追求に狂奔する欧米諸国の帝国主義的政策と、その文明社会に対する批判と自省の念がここには込められている。それをオリファントは「奢侈の病」、すなわち「文明病」だという。こうした病にまだ冒されていない純真無垢な日本を救うには、信義を重んじ、廉恥を養い、国際的道義による外交を展開する以外に道はない。こう述べるオリファントの言葉に、日本の若者たちは強く惹き付けられた。

薩摩藩の要路に対し、オリファントの意見を伝えるべく、五人の留学生たちは連名で建言書を送る。

私たちがこの国へ着いた当初は、何もわからずただ驚いてばかりでしたが、月日が経つうちに恐避すべきこともようやくわかり始めました。ここに一人の「善友」を得て、彼からヨーロッパはもちろん米国の風情も詳しく聞き、ただ採るべきものは少なく、避忌すべきものが大きいと理解した次第です。英国政府の形勢も、外面はなるほど公平のようには見えますが、実はそうではなく、すべて「技巧権暴」（策謀）のみであるとのこの英国人の話を聞き、実にそのとおりだと思いました。自国を利するためには全く「道」をはずして、諸国諸島を略奪して、強きものと結び、弱きものを拒《こば》むのはヨーロッパ諸国や米国の国柄です（『薩藩海軍史』中巻）。

オリファントの教示に導かれて留学生たちの内部に、「西洋批判の精神」が醸成されたということは、それだけ彼らが「西欧の真髄」に近づいたことを意味していた。この建言書が書かれたのは、一八六七年七月十日（慶応三年六月九日）であり、大学での学期終了直後のことであった。

薩摩留学生六人の渡米

スコットランドにいる磯永彦輔を含め六人の薩摩の留学生たちは、この時期、国事に忙殺されている藩そのものから忘れ去られようとしていた。彼らが建言書を送ったのも、その存在を藩に再認識させる必要があったからでもあった。そして、パリに在留している藩の万博使節に対するたびたびの働きかけにもかかわらず、藩当局からの仕送りは全く期待できない状況にあった上、彼らの手持ちの学資も底をついていた。つまり、これ以上勉学を続けるには、彼ら自身が働いて学資を稼がねばならなかった。

学資の欠乏という現実問題に、宗教家ハリスの教義への信仰心が重なった時、彼らは「渡米」を決意する。しかし、彼らがそれを実行に移すためには、ウィリアムをはじめグレアムやフォスターなど彼らをカレッジで直接指導してきた知識人たちの猛烈な反対を押し切らねばならなかった。ハリスのことを、ウィリアムたちは得体の知れぬ狂信的な夢想家と見なしていたようである。

親身になって心配するウィリアムたちの忠告を無視して米国へ渡ることに、彼らは躊躇した。だが、オリファントが自らハリスの共同体に参加するため米国へ渡ると知った時、彼らはためらうことなく米国行きの道を選んだ。オリファントが米国へ向かってからひと月もたたない八月中旬、スコットランドから合流した磯永を加え、六人の薩摩藩留学生たちはウィリアムたちに別れを告げてロンドンを離れた。

時代の要請

彼らが英国を離れてまもなく、薩摩と長州、それに広島藩との間に討幕挙兵の三藩連合が成立し、十一月八日（和暦十月十三日）には薩長両藩に討幕の密勅が下り、そして翌九日、第十五代将軍徳川慶《よし》喜《のぶ》は大政奉還を奏請したのである。その直前、将軍が朝廷へ政権を返上する動きが具体化する中で、長州の桂小五郎は英国に到着したばかりの河瀬安四郎《やすしろう》（真孝）に宛てて手紙を書いた。それには、近いうちに、必ず一大変革が起こる。この大変革は、皇国一統の理念を世界に示し、その基礎を築くためのものである。そのことをヨーロッパ諸国にわからせてほしい。それが外国にいる君たちの重要な役目だ、と記されてあった。さらに続けてこう記す。

　野村弥吉には帰国するようにとの君命も伝えたが、一向に帰国する様子がない。いったいどうしたのかと政府一同も心配している。何とぞ早く帰国するようにと、貴君からも厳しく説諭してほしい（一八六七年九月十二日〔慶応三年八月二十二日〕付、『木戸孝允文書』第二）。

　四年の長きにわたって英国に暮らし、文明技術ともどもその精神をも学び得た野村弥吉と山尾庸三の二人は、心身ともに文明化された近代人として、早々帰国し、その知識や技術を祖国の近代化に役立てることを求められていた。桂の手紙はそのことを示している。

　十一月三十日にこれを受け取った野村は、十二月十日（和暦十一月十五日）付で桂へ返事を出す。

　私に帰国すべしとの君命がでていることは承知しております。当国へ渡って以来、なるべく早く帰国できるよう祈っておりましたが、今だにその「業成」に乏しく帰国できない状況です。せっかくの君命ではありますが、すぐには復命できません。はなはだ恐れ入りますが、もう十ヵ月ほどの「御暇《おいとま》」をまげてお願い申し上げます。十ヵ月早く帰国をして、これまでの「苦心の功」を十一〔ママ〕分にも得ることができなければ、私の願いのみならずお国のためにもなりません。このあたりの心事をお汲み取り頂き、何とぞそのようにお殿様へも申し上げてくださいますよう、よろしくお願い申し上げます（一八六七年十二月十日付、『木戸孝允関係文書』第一巻）。

グラスゴーで造船を学ぶ山尾も、恐らく同じ考えであろう、とも述べている。四年前に日本を出る時、五人で誓った「生たる器械」となって祖国に役立つ人間になりたい、という強い思いがいまだに二人の胸中にあった。彼らは中途半端な状態で帰国したくなかったのである。

後年、野村は英国留学時代を回顧して、「天は人に違ひ易く、事は意の如くならず、修業半途にして帰朝し」と、藩命により勉学半ばで帰国したことを慨嘆しているが、彼がめざしたのは、まさに完璧な文明技術の修得であり、完成された一個の技術者となって帰国することであった。野村は純粋に技術者としての実用主義的な観点から、自らの「文明化」を考え、修得した技術と国政変革とを直線的に捉えようとした。

だが、一方の山尾は、文明技術と国政変革とをクロスさせた接点で、祖国の近代化を構想していた。国家の近代化という問題が、産業や軍事、科学技術の進歩ばかりでなく、そこに生きる人間自身の文明化にかかわる問題であることを、日本から来た留学生たちの少なからぬ者たちが感じ取っていた。強い対外的危機意識を抱いて西欧に渡った彼らがそこに見たものは、東洋とはまったく異質の人間観、倫理観であり社会観であった。これら西欧文明を支えている精神構造の本質を理解し、それを自己に帰属させた上で自らを文明化させることこそ、留学生に課せられた責務であると感じる者もいた。彼らは技術や知識と、それを支える精神とが両々相まって自分が文明化されてはじめて、留学生として祖国の近代化に役立ち得る人間になれると信じた。

密航留学生の多くが、こうした考えに立ち至った。つねに死と隣り合わせにある、という緊迫感が、彼らにそのような自己変革の意識を与え、同時に明確な国家意識を植えつけたのであろう。密航留学生たちが世界的視野の中で抱き得た、国家とそこに生きる人間に対するそうした変革意識は、彼らが修得した知識や技術とともに、まぎれもなく維新後の日本を形づくる上で大きな原動力となっていくのである。

野村と山尾の帰国

野村は一八六六年度の地質学クラスの全学試験（Public Examination）で優等生（第三位）の修学証書（Certificate of Honour）を授与された。担当はジョン・モリス（John Morris）教授であった。一八五三年から地質学の教授としてユニヴァーシティ・カレッジで教鞭をとっていたが、もともとは薬剤師から科学者への道を選んだ人物で、大学で最初に野外研究を取り入れたり、地質学博物館を作るなど革新的な授業を行うことで有名であった。

試験で優等をとったあとの六七年夏以降、前にも述べたように、野村は実地に技術を覚えるため、ニューカッスルへ鉱山修業に出向く。修業には最低でも一年間必要だったので、野村は祖国の桂に対して十ヵ月の留学延期を願い出たと思われる。しかし、野村の願いは聞き入れられなかった。山尾ともどもすぐに帰国せよとの命令が再度届く。

桂からの帰国命令と前後して、一八六八年六月十九日（慶応四年閏四月二十九日）、長州支藩徳山の世子・毛利元功《もといさ》（十八歳）が、家臣の大野直輔《なおすけ》（二十八歳）、有福次郎（二十二歳）、池田梁蔵《りょうぞう》（三十三歳）、伊藤湊《みなと》（三十一歳）、遠藤貞一郎（二十八歳）らとともにロンドンに到着した。元功は英国で陸軍砲術学を学ぶ予定であった。帰国準備のためグラスゴーからロンドンに戻ってきた山尾と一緒に、野村は元功の宿舎を挨拶に訪れたであろう。すでに書いたように、それから二ヵ月後の八月十三日、家臣の一人である有福次郎が急死し、ブルックウッドの墓地に葬られた。墓碑銘は友人の大野直輔が書いている。大野はロンドンで経済学を修得し、一八七〇年（明治三年）に帰国、のちに大蔵省銀行局長となる。

　野村と山尾は、有福の葬儀に出席するため、再びブルックウッドの墓地を訪れたはずである。山崎の墓にも花を手向け、帰国を報告したに違いない。「生たる器械」となって、祖国の近代化に精一杯努力することを、彼らの墓前で固く誓ったであろう。

　それから二ヵ月ほどして、野村弥吉と山尾庸三はロンドンを発った。彼らがロンドンに着いてからすでに五年が経過していた。野村はフエローズ・ロード一二番地のウィリアムの家を去るにあたって、長い間、公私両面にわたり世話になった二人、とくにエマには感謝の気持ちとして、ウィリアム・モリスのデザインによる「英国の蝶々」（タペストリーか）をプレゼントした。エマの遺書にこう記されている。

"British Butterflies"（by Morris）（a parting gift to me from Enoye《ママ》 Masuru when he left us in 1868）

　野村と山尾の二人が、横浜の地に降り立ったのは、一八六八年十二月三十日（明治元年十一月十七日）の夜であった。祖国日本は「明治」という新しい夜明けを迎えようとしていたのである。

英国に眠る山崎小三郎の墓碑

第六章　日本近代化への架け橋

Chapter 6

Creating a Bridge to the Modernization of Japan

日本の若者たちが去ったことで、ウィリアムの周辺は急に寂しくなった。しばらくして長州の五人から日本の筆入れが届いた。お別れの贈り物だという（Emma C. Williamson. The disposal of property. March 7th, 1913）。ウィリアムとエマの二人は、その筆入れ（a Japanese writing case）を、日本の若者たちの思い出として、生涯身辺に置いてとても大切にしていた。

日本の若者たちを指導したことは、ウィリアムの研究や教育の幅を広げたばかりでなく、英国の科学教育界にも大きな実りをもたらした。英国の化学界に広がっていた原子理論への不信に対して、ウィリアムが再び果敢な挑戦を試みたのもこの頃であった。

純粋科学の普及

ある科学研究会での席上、原子理論不信に強く抵抗したウィリアムは、一八六九年、自らの原子論を発表して、それを『化学協会雑誌』（*Journal of the Chemical Society*）に「原子論について」（"On the Atomic Theory"）と題して掲載した。講演では多くの聴衆が熱心に耳を傾け、夏季休暇後にその主題について再び討論会が持たれるなど、研究者の間に徐々に関心が広がっていった。

これより二年前の一八六七年、英国では物理学者でグラスゴー大学の自然哲学の教授ウィリアム・トムソン（Lord Kelvin, William Thomson）が、原子を完全な流体中の渦《うず》と考える「原子の渦説」を提案し、科学界に大きな反響を巻き起こしていた。トムソンの説では、物質、光、電気の全てが流体中の運動として考えられていた。しかし、多くの物理学者や化学者たちはこの渦原子説にあまり興味を示さなかった。化学界で原子論といえば、相変らず原子を静止した微粒子と考えるドルトン説が有力であった。

ウィリアムはトムソンの渦原子説を強く支持していた。彼は「原子論について」の結論部分で次のように述べている。

トムソンが述べたように原子は渦であるに違いない。しかも、それらは均正もしくは不均正な形をした小さくて固い特殊な粒子であろう。……（そうした原子のアイデアは）人間の産業と思想の真の賞讃すべき結果（a truly admirable result of human industry and thought）につながるはずだと私は断言する。原子論は、もっともよく知られた、そしてもっともよく整理された科学の真実の統一された一般的表現であり、疑いなく化学の大切な生命（the very life of Chemistry）なのである（"On the Atomic Theory." *Journal of the Chemical Society*. Vol. 22, 1869）。

ウィリアム自らが「動的原子論」（dynamic atomism）と呼ぶこの原子理論は、その後の化学、物理の研究に大きな影響を与えたほか、有機化学と無機化学の統合への道を開くことにもなった。ちなみにトムソンは、この後熱力学の体系化に貢献、さらに大西洋横断の海底電信ケーブルの敷設に指導的役割を果たすなど電磁力学の分野で活躍し、爵位を授けられケルヴィン卿と称した。

ウィリアム・トムソン
William Thomson,
1st Baron Kelvin
1824-1907

次にウィリアムが着手したのは、科学部門の分離独立という大学内の組織改革であった。それは、カレッジにおける科学教授の現状に最高の知力をもたらすため、また科学教育に対して次第に高まっていく要求に応じるべく始まったものであった（H. Hale Bellot, op. cit.）。これまでウィリアムが提唱してきた改革案を、カレッジの評議員会が正しいと判断し導入したのである。一八七〇年、カレッジ内に初めて科学学部（Faculty of Science）が誕生した。初代の学部長はウィリアムであった。十月四日、その就任演説「純粋科学への要請」（"A Plea for Pure Science"）で彼は次のように語った。

科学は実社会の仕事（business of life）に大きな影響力をもっている。……したがって、理論と実践に必要な条件を、それぞれ正しく評価することが、一般的な教育組織の自然な在り方をよく示すことになる。……「科学」という言葉（the word Science）で表示されるこの学術部門は、多くのすばらしい交流をもつ関連学科と切り離されることなく、学部（Faculty）という学術的名称を与えられて威厳あるものとなっている。……ここで科学を学んだり教えたりしている人々は、言語や文学の知識、その他様々な知的文化の分野においてあらゆる知識段階で卓越した人々であり、彼らによって小さな共同体の一部が構成されている。……「物理学」や「化学」の講義は、物や現象を言葉で説明するだけでなく、多くの場合は説明する物の検証を伴っている。ある現象の他の現象への関係もまた、法則によって一般的に説明するとともに、しばしば実験によって例証する。「地質学」、「植物学」、「動物学」、「生理学」等々の教育も同様である。……科学の大きな目的と目標は、われわれの知識を体系化することであり、数多くの事実に対する理解を促進する形で、それらの事実の整理に資するような着想の発見は、科学的研究の最高の成果である（"A Plea for Pure Science: Being the Inaugural Lecture." 4 Oct. 1870）。

後半部分で、ウィリアムは人間の進歩発達に無限の信頼を寄せ、生物進化論の適者生存に肯定的な見解を示し、「(優れた特質をもつ)個体の存在は進歩の起源であり、その生存競争の成功は、進歩の発展の本質をなす過程でもある」と述べ、時代精神を画するこの法則を、自ら「進歩の法則」(the Law of Progress)と呼んで讃美している。

要するに、「純粋科学」が国家の発展と進歩にとって必要不可欠な要素であることを国家が進んで認め、国民教育なかんずく大学の高等教育において、今後広く普及させることが必要だと主張したのである。

ウィリアムは自らの考えを実践に移す。工学を学ぶ学生のために実験を導入し、工学教育に新しいシステムを採り入れ、これを英国全土に普及させたほか、ロンドン大学に「科学の学位」(degrees in science)を授与する機関の創設を進めることに尽力した。まさに国家的規模で科学を国民教育に浸透させるべく、ウィリアムは非常な努力を重ねていたのである。

実践的教育の成果

こうしたさ中の一八七一年(明治四年)、ひとりの日本人学生が新設されたばかりの科学学部に入ってきた。長州出身の正木退蔵《たいぞう》であった。大蔵省造幣寮《ぞうへいりょう》から派遣された官費留学生である。

日本では一八六八年に王政復古が実現し、薩摩藩と長州藩を中心とする明治新政府が誕生した。政権は幕府から朝廷へ移った。戊辰《ぼしん》戦争の内乱を経て、翌年、地方の大名たちは自ら領地と人民を朝廷へ返納し、封建領主としての身分を捨てた。「版籍奉還《はんせきほうかん》」である。事実上、ここに封建制度は廃止され、新政府による本格的な国づくりが始まった。七月、官制大改革が実施され、二官六省制が発足した。二官とは神祇官《じんぎかん》、太政官《だじょうかん》。六省とは、民部《みんぶ》、大蔵《おおくら》、兵部《ひょうぶ》、刑部《ぎょうぶ》、宮内《くない》、外務《がいむ》の各省をさす。この改革により、新政府の官僚的機構の整備と集権化が一段と進んだ。

新たに造幣事業を進めていた新政府は、大蔵省に造幣寮を設け、長官（造幣頭《ぞうへいのかみ》）に井上馨を据えた。井上は、造幣事業の近代化にあたって、外国人技師を雇う一方で、人材育成のため英国への留学生派遣を提案する。一八七〇年十月のことである。この結果、翌年三月、豊原百《ひゃく》太《た》郎《ろう》、正木退蔵ら七名の留学生が造幣技術習得のためロンドンへ派遣された。

豊原、正木はロンドン到着後、ユニヴァーシティ・カレッジへ入学しウィリアムの分析化学やグレアムの実践化学を専攻し、化学分析の実際を学んだ。前にも書いたように、グレアムは一八七三年から化学講座の助教授を務めウィリアムを助けたが、七八年以降は分析化学から独立した「化学工学」（Chemical Technology）の教授職に就任した。国家に役立つ有用な技術の習得をめざした正木たちにとって、改革直後におけるカレッジの授業は大変魅力的に映ったに違いない。ウィリアムやグレアムの授業を勧めたのは、むろん井上であり、その後任として造幣長官（造幣権頭《ごんのかみ》）についた遠藤謹助であった。

いささか話は横道にそれる。その後の正木についてである。一八七四年に帰国した正木は、東京開成学校（東京大学の前身）の化学助手として二年間勤務したあと、一八七六年、文部省派遣の海外留学生監督を命じられて再び渡英する。日本人留学生たちの実情を調査する目的で、スコットランドのエディンバラ大学に赴き、工学のフリーミング・ジェンキン（Fleeming Jenkin）教授を訪ねた。

一八七八年秋頃、教授がひとりの英国青年を正木に紹介した。青年は名をロバート・ルイス・スティーヴンソン（Robert Louis Stevenson）といった。フランス、ベルギーの川紀行（『内陸紀行』）を出したばかりの文学青年であった。父は燈台技師でエディンバラ大学の教授を務め、ジェンキンとは同僚であった。息子であるスティーヴンソン自身もエディンバラ大学で工学を専攻し、ジェンキン教授は彼の最も尊敬する師の一人で人生の教師でもあった。彼は、フランスの作家ヴィクトル・ユゴーや米国の詩人ホイットマンの作品を好み、いわば「志士型」のロマン派の小説家になることを夢みていた。

正木は初めて会ったこの青年に、自分の師である吉田松陰《しょういん》について詳しく語って聞かせた。とくに、松陰が鎖国の掟を破って、海外へ渡ろうとして失敗し獄に繋がれた事件（下田踏海《とうかい》事件）は、勇気ある行動としてスティーヴンソンの心を動かし、感奮させた。スティーヴンソンは、この話を二年後の一八八〇年に、"Yoshida-Torajiro"（*Familiar Studies of Men and Books*）の題名で発表した。外国人が書いた初めての吉田松陰伝である。

この中でスティーヴンソンは、松陰の海外密航計画の勇気を讃えて、「それは、人間界の境を越えて、二人を悪魔の国へ連れて行くことであった」と書いた。未知の国へ渡る勇気、それは長州の五人たちにしっかりと受け継がれたのである。スティーヴンソンがその後、『宝島』（一八八三年）や『ジキル博士とハイド氏』（一八八六年）などロマンティックで幻想的な傑作小説を世に問うて、英国小説界で押しも押されもせぬ文豪へと成長していったことは周知の通りである。

正木は一八八一年に帰国後、東京職工学校（現在の東京工業大学の前身）の初代校長に就き、技術教育の指導にあたった。ここでもウィリアムの実践的教育の成果が実を結んだのである。

正木退蔵
1846-1896
東京工業大学博物館所蔵

フリーミング・ジェンキン
Fleeming Jenkin
1833-1885

ロバート・L・スティーヴンソン
Robert Louis Stevenson
1850-1894

英国からやってきた教師たち

版籍奉還の二年後の一八七一年八月（明治四年七月十四日）に、日本は藩を廃止して県を置く、「廃藩《はいはん》置県《ちけん》」を断行した。ここに日本の封建制度は実質的に廃止され、近代的な統一国家としての道を歩み始めた。廃藩後、立て続けに官制の大改革が実施され、太政官のもと、各省の列次が決まるとともに、新たに教育行政を司る文部省が設置された。また民部省が大蔵省に併合されて、鉱山寮や鉄道寮などの旧民部省所轄業務の一部が前年に新設された工部省へ移管された。工学と工業技術を専門に扱う部署が政府に設けられたことで、ウィリアムのもとで学んだ長州の若者たちの活躍の場が格段に広がった。

伊藤博文は工部省の実質的な長官である工部大輔《たゆう》に、井上馨は大蔵大輔に、山尾庸三は工学頭兼測量正、野村弥吉改め井上勝《まさる》は鉱山頭兼鉄道頭、遠藤謹助は大蔵省造幣権頭に就任し、それぞれの専門技術を生かしながら日本の近代化に貢献していくこととなる。

こうした国内での制度改革に続いて、不平等条約改正の予備交渉を兼ねて、西欧諸国の文物制度の調査研究のため、政府首脳メンバーを中心にした大使節団が欧米各国へ派遣されることとなった。右大臣岩倉具視《ともみ》を特命全権大使とする、いわゆる岩倉使節団である。副使には参議木戸孝允《たかよし》、大蔵卿《きょう》大久保利通《としみち》、工部大輔伊藤博文、外務少輔山口尚芳《ますか》がそれぞれ任命された。留学生四十三名を合わせ、総員百七名におよぶ大使節団が横浜を出発したのが一八七一年十二月二十三日（和暦十一月十二日）、最初の寄港地である米国のサンフランシスコ到着が翌年の一月十五日、そして次の訪問地英国のロンドンに着いたのは、それから七ヵ月後の八月十七日（和暦七月十四日）であった。

出発前に伊藤は工学寮の長官である山尾と相談して、将来の人材育成のため工学寮に工業技術学校を設けることで合意していた。ロンドンに着くと伊藤は、早速かつて世話になったジャーディン・マセソン商会のヒュー・マセソンに、教育を委ねる教師の人選を依頼した。マセソンは知人で親しい間柄にあったグラスゴー大学の工学教授ゴードン（Lewis D. B. Gordon）と同ランキン（William J. M. Rankine）に相談、彼らの推薦したヘンリー・ダイアー（Henry Dyer）を伊藤に紹介した。伊藤は即座に二十四歳の若いダイアーを、新設予定の工業学校（のち工部大学校）の都検（principal）兼工学教授として招聘することを決めた。

ダイアーは伊藤の意を承けて、一緒に日本へ行く他の教師たちの人選を進めた。そこにはダイアーの師であるランキン教授と物理学教授のウィリアム・トムソン（ケルヴィン卿）の思惑が大きく働いていた。選ばれた中には、物理学のエアトン（William Edward Ayrton）や化学のダイヴァーズ（Edward Divers）などユニヴァーシティ・カレッジで一時期ウィリアムの指導を受けた者もいた。ただ、ダイアーを含めた多くの教師がグラスゴー大学のトムソン教授の息のかかった者たちであったことは間違いない。したがって、工学寮の新設校における教員人事は、スコットランドのグラスゴー大学、それもトムソンの学閥に基礎を置いていたことがわかる。教師一行九名が横浜に着いたのは一八七三年六月であるが、到着直後から、もう一つの高等教育機関である東京開成学校との間で工業技術教育をめぐって争いが始まることとなる（北政巳『国際日本を拓いた人々』）。

ところで、人選にあたってマセソンは、恐らく旧知のウィリアムにも相談したはずである。とくに彼の教え子のエアトンについては。

エアトンは一八六四年度にユニヴァーシティ・カレッジに入学し、ウィリアムのもとで指導を受け、六七年に卒業した。長州や薩摩から来た日本人留学生とはちょうど同期である。生年も森有礼と同い年であった。卒業後はグラスゴーへ赴きトムソン教授の研究室で物理学を学んだ。ウィリアムのいう化学と物理学の融合はエアトンの研究姿勢にも強く反映されている。インドで電信事業に従事し、帰

吉田松陰
1830–1859
山口県文書館所蔵

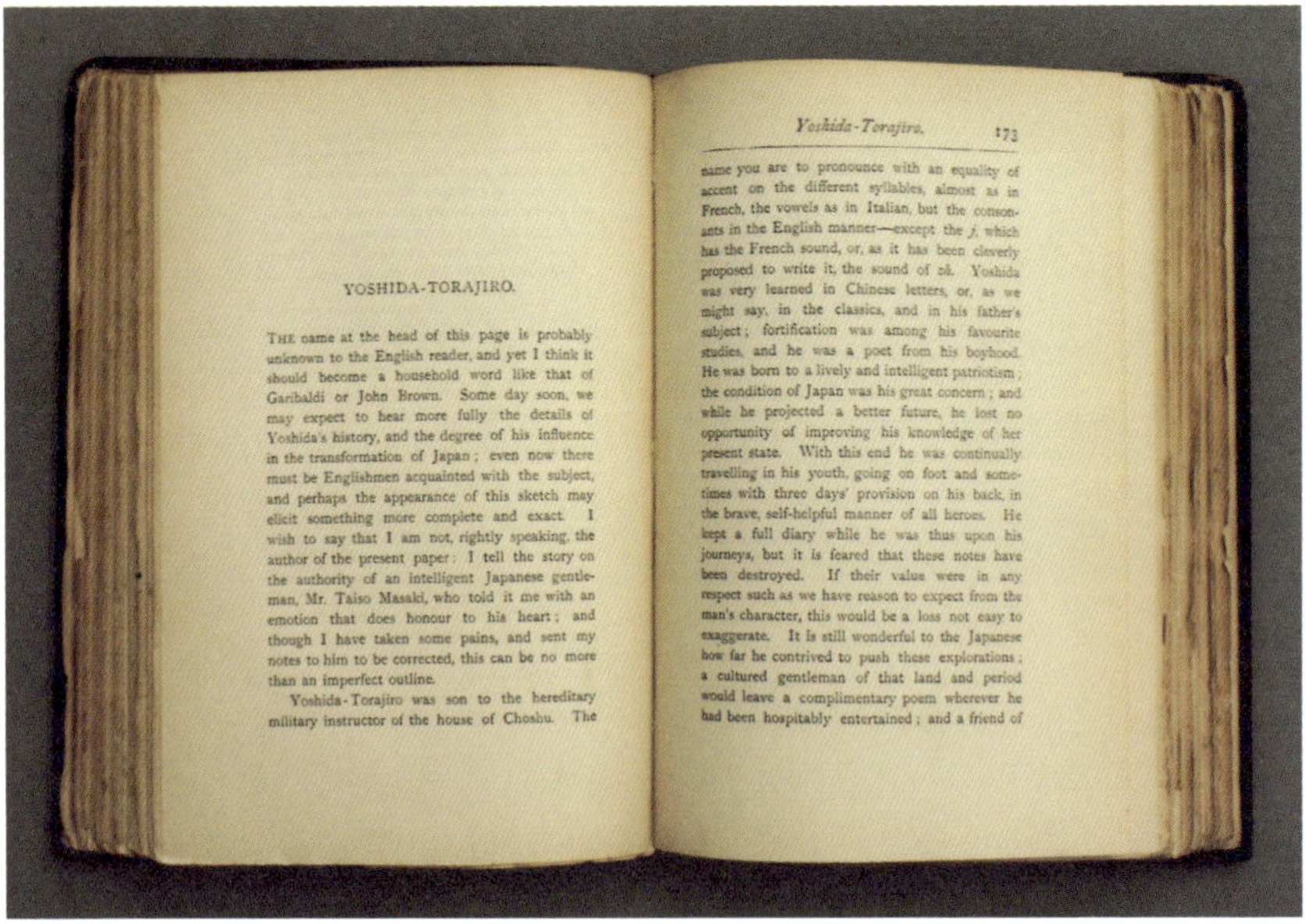

YOSHIDA-TORAJIRO.

THE name at the head of this page is probably unknown to the English reader, and yet I think it should become a household word like that of Garibaldi or John Brown. Some day soon, we may expect to hear more fully the details of Yoshida's history, and the degree of his influence in the transformation of Japan; even now there must be Englishmen acquainted with the subject, and perhaps the appearance of this sketch may elicit something more complete and exact. I wish to say that I am not, rightly speaking, the author of the present paper: I tell the story on the authority of an intelligent Japanese gentleman, Mr. Taiso Masaki, who told it me with an emotion that does honour to his heart; and though I have taken some pains, and sent my notes to him to be corrected, this can be no more than an imperfect outline.

Yoshida-Torajiro was son to the hereditary military instructor of the house of Choshu. The

Yoshida-Torajiro. 173

name you are to pronounce with an equality of accent on the different syllables, almost as in French, the vowels as in Italian, but the consonants in the English manner—except the *j*, which has the French sound, or, as it has been cleverly proposed to write it, the sound of *zh*. Yoshida was very learned in Chinese letters, or, as we might say, in the classics, and in his father's subject; fortification was among his favourite studies, and he was a poet from his boyhood. He was born to a lively and intelligent patriotism; the condition of Japan was his great concern; and while he projected a better future, he lost no opportunity of improving his knowledge of her present state. With this end he was continually travelling in his youth, going on foot and sometimes with three days' provision on his back, in the brave, self-helpful manner of all heroes. He kept a full diary while he was thus upon his journeys, but it is feared that these notes have been destroyed. If their value were in any respect such as we have reason to expect from the man's character, this would be a loss not easy to exaggerate. It is still wonderful to the Japanese how far he contrived to push these explorations; a cultured gentleman of that land and period would leave a complimentary poem wherever he had been hospitably entertained; and a friend of

ロバート・L・スティーヴンソン著『Familiar Studies of Men and Books』
萩博物館所蔵

遠藤謹助
造幣局所蔵

山尾庸三
日本カメラ博物館所蔵

伊藤博文（俊輔）
日本カメラ博物館所蔵

井上馨（聞多）
日本カメラ博物館所蔵

井上勝（野村弥吉）
日本カメラ博物館所蔵

国後の一八七二年からスコットランドのグレート・ウェスタン鉄道で働いていた時に、恩師のトムソン教授やエディンバラ大学のジェンキン教授の要請で日本行きが決まった。来日直前に結婚したが、妻のマチルダはエディンバラ大学で医学を学び、英国における女医の草分け的存在であった。エアトンは電気技術研究や照明学の権威で、日本初の電気学教授志田林三郎の師でもある。授業では実験を重視、熱学の講義を始める時は、必ず気象観測をさせたという（吉田光邦『お雇い外国人2——産業』）。

一方、エアトン夫人も東京で助産婦養成の学校を開いて産科学普及に努めた。エアトン夫妻の日本科学界への貢献は大きいものがあった。エアトンは一八七八年帰国後、ロンドン大学やサウスケンジントンの大学で教授を務め、一九〇八年六十一歳で死去した。

東京開成学校の設立

なお、岩倉使節団が欧米各地を巡って視察調査に従事した際に、現地で大きな役割を果たしたのは、ウィリアムのかつての教え子、薩摩の若者たちであった。一八七一年以降、鮫島尚信は、日本初の外交官、駐仏公使としてパリにあって外交活動、留学生支援、外国人専門家の雇用などに奔走。森有礼も同じく駐米公使としてワシントンにあって同様の活躍をした。寺島宗則は一八七二年に初の駐英公使となってロンドンに赴任、ヨーロッパ全土を股にかけて縦横無尽の活躍をしている。

さらに、一八七一年に米国のラトガース大学を卒業した畠山義成は、翌年、帰国途中で岩倉使節団に合流し、三等書記官として欧米各地の教育制度の研究に従事。七三年に帰国し、十二月、日本で唯一の高等教育機関である開成学校の校長に就任した。一八七四年五月、開成学校は「東京開成学校」と校名を変更し、九月には専門教育を行う本科を開設した。この時に初めて、法学科、化学科、工学科の三学科の課程が定まり、英米の大学の規模に準拠した高等教育課程が整うことになった。畠山主導のもと、早速、専門教員の人選が進められ、法学のグリグスビー（William E. Grigsby）、化学のアトキンソン（Robert William Atkinson）、機械工学のスミス（Robert H. Smith）の三名の専門教授が英国から招聘された。

英国から彼らを招くにあたり、畠山は恐らくウィリアムのコネクションを利用したに違いない。というのも、ウィリアムは、一八七三年から王立協会の対外交渉の幹事役（Foreign Secretary）を担うこととなり、以後八九年まで十六年間の長きにわたってこの役を務め、また翌一八七四年からは、ロンドン大学の評議員会のメンバーのひとりにもなっていたからである。工部大学校がグラスゴー大学系列であったのに対し、東京開成学校はロンドン大学系列の人材に重きを置いたといってよいかも知れない。

東京開成学校は、東京の神田錦町三丁目一番地にあった。一八七三年八月に新築されたばかりの白亜の二階建て木造洋風建築で、まさに当時の最高学府にふさわしい建物であった。神田一ツ橋たもとに位置し、一ツ橋通りをはさんで西側に東京外国語学校があった。当時の学生が見事な風景描写を残している。

ウィリアム・エドワード・エアトン
William Edward Ayrton
1847-1908

鮫島尚信
1845-1880
薩摩藩英国留学生記念館所蔵

畠山義成
1842-1876
日本カメラ博物館所蔵

大学の建物は総二階造りで大体H字形を成し、左右の翼は南北に相対して其の間約四十間（七十三メートル）に跨《また》がり、翼は東西に長く延びて約二十間（三十六メートル）、無論木造であるがペンキにて純白に塗られ、門内に入れば玄関正面に姫小松の密生せる小山あり、左方の遙か北に当りて芝生の丘上に一本の長き旗竿屹立《きつりつ》し、竿頭には白地に赤く開成学校と染め抜ける校旗翻《ひるがえ》りて屋上に聳《そび》へ、此の旗竿も、門衛所も、門も柵も共に真白で、見るからに壮麗、門内入れば心気自ら改まるが如き清淳の気韻に富んで居った（岩川友太郎記『動物学雑誌』三八巻四五三号）。

総建坪は千八百十六坪（五千九百九十二平方メートル）あり、総工費五万八千円もかけた、国家にとっての一大プロジェクトの成果であった。畠山は、この学校を「諸科専門の生徒を教育する官立大学校」として捉え、「法学校」、「化学校」、「工学校」、「諸芸学校」、「鉱山学校」の五つの専門学校を合わせ構成したものと考え、将来において欧米なみのユニヴァーシティへと発展させるつもりであった。

東京開成学校のあった場所には、現在学士会館が建ち、当時のよすがを知るものは何も残っていない。

アトキンソンの功績

英国からやってきた若い化学者アトキンソンが、その真新しい白亜の校舎に姿を見せたのは、一八七四年の九月であった。ウィリアムの強い推薦を受け、彼の教育法の正統な継承者でもあったアトキンソンは、日本の若い化学者を立派に育てたいという大きな志をもって、東京開成学校に赴任した。

アトキンソンはニューカッスル出身の二十四歳。王立化学学校（Royal College of Chemistry）および王立鉱山学校（Royal School of Mines）で化学を専攻し、一八七二年頃ロンドン大学ユニヴァーシティ・カレッジでウィリアムの化学教室の助手に採用された。大変優秀な学生であった。ウィリアムが著書『学生のための化学』の改訂版（第三版）を一八七三年に出版するにあたって、編集の労を執ったのは助手のアトキンソンであった。改訂版の序文末尾においてウィリアムはわざわざ「この最終版は友人のアトキンソン氏が校訂にあたってくれた。この本の有機化合物を論じる部分を整理するについては、彼の有益な示唆に恩恵をこうむっている」と記し、アトキンソンの功績を讃えている。

開成学校では、畠山の希望もあり、分析化学と製造化学を教えることになっていた。授業が始まる。分析化学の授業は基本的な元素の性質を教え、実験を行わせた上で定量分析に進んだ。また製造化学（応用化学）の講義では、石炭の効用を教え、石炭ガスの製法とガスの製造過程で生じるタールからアニリン染料を取り出す方法を教えた。しかし、実際に石炭ガスの製造法を見た学生がほとんどいないため、アトキンソンはガス工場の見学を実施することにした。ウィリアムから学んだ実践化学の方法である。

日本でガス燈が初めて点《とも》ったのは一八七二年の横浜であった。東京は一八七四年に京橋と新橋の間にガス燈が点ぜられた。アトキンソンが学生を連れて見学に出かけたのは、この新橋のガス製造所で

ロバート・ウィリアム・アトキンソン
Robert William Atkinson
1850-1929

あった。アトキンソンの助手を務めたのは、英国留学から帰国したばかりの正木退蔵である。彼については前に述べた。最初の学生として指導を受けた桜井錠二《じょうじ》は、アトキンソンについてこう語る。

整備した実験室が新に設けられ、英人アトキンソン氏が教授として招聘されて初めて進歩した化学専攻の始まったのは、漸《ようや》く明治七年のことである。アトキンソン氏は十四年に至るまで教授の任に当ったが、在職七年間化学研究を奨励し、其《その》発達を促したことは実に多大であった。……氏の最初の門弟の一人である私は、氏が不変の熱誠と不屈の精神とをもって、理学の進路を辿《たど》るべく私等を教訓した当時を回想する毎《たび》に、感謝の念に堪へないのである（桜井錠二「明治時代の化学」『明治文化発祥記念誌』中）。

彼は分析化学、有機化学のほか、理論化学、工芸化学から冶金術に至るまで担当し、毎週数時間も講義、その負担はかなりのものであったという。アトキンソンの短い評伝を書いた上野益三も、「西洋の化学を組織的に日本に移植したのは、全くアトキンソンの功に負うべきものである」（上野益三『お雇い外国人3――自然科学』）と記し、草創期日本の近代化学界における彼の功績を高く評価している。

アトキンソンの在職中、特記すべきは日本酒の醸造研究であろう。彼が日本酒醸成の課程に興味を持ったのは、ウィリアムの影響もあったと考えられる。醗酵作用についてはかつてウィリアムも研究を行ったことがあった。アトキンソンは西の宮や伊丹の酒造場に足を運び、実際に醸造現場を経験しながら研究を重ねた。成果は一八七八年に英国の科学雑誌『ネイチュア』（*Nature*）に概要が発表されたが、本論は一八八一年、東京大学理学部の機関誌上で「酒醸造の化学」（"The Chemistry of Sake-Brewing"）と題して発表、同年には邦訳「日本醸酒論」が東京大学から出た。日本酒醸造についての最初のまとまった科学的研究であったといわれる（上野前掲書）。彼がウィリアムから受け継いでいた研究法、すなわち純粋化学と応用化学の融合、理論と実際の協働による有効性が見事に捉えられた論文であった。そこには日本酒という日本独特の文化が、西洋の科学的文脈の中でどう解釈できるかという意味において、科学的研究からだけではなく、比較文化的研究の観点からもきわめて興味深い論文であった。

このほか、アトキンソンは古代の青銅鏡の研究実験（「魔鏡」現象の反射実験）や日本アルプス踏破など、これまでの日本であまり注目されなかった特有な文化開発に先駆的業績を残した。一八八一年七月、彼は契約期限が切れる前に帰国、ウェールズ南部の港町カーディフ（Cardiff）で炭坑や鉄鉱業者たちの技術顧問として暮らし、一九二九年十二月十日、七十九歳でその生涯を終えた。

アトキンソンが日本で近代化学を教えたのは、わずか七年間という短い期間ではあったが、英国近代化学の日本への移植という、ウィリアムができなかった大事な仕事を代わってやりとげ、日本化学の基礎を築き、日本人の後継者を育てたという意味で、アトキンソンが近代化学界で果たした功績を忘れてはならない。

ところで、アトキンソンが東京開成学校に赴任して間もない一八七五年七月、文部省は開成学校の在学生から成績優秀な者十一名を選び、彼らを官撰貸費留学生として欧米に派遣することにした。これは近代日本の学術史上きわめて重要な出来事であった。

新政府による留学制度の見直し

前章でも述べたように、明治政府は、学力、健康、資金など様々な点でこれまでの留学制度を見直す必要を迫られ、岩倉使節団派遣にともない現地の外交使節とも意見を交わしながら留学生の整理を

開校当時の東京開成学校（千代田区神田錦町）

『東京帝国大学五十年史』より / 国立国会図書館所蔵

東京府瓦斯局（明治11年頃）

アトキンソンが学生を連れて見学したガス製造所。

東京ガス ガスミュージアム所蔵

進めてきた。その中心となって留学生政策を立案したのが、かつての薩摩や長州の留学生たちであったことはすでに書いた。草案は、一八七三年三月十八日、「海外留学生規則」として文部省より布達されたことも述べた。これに基づいて、同年十二月、文部省は海外留学生全員に対して、いったん帰国を命じ、翌年十二月、前途見込のある有望な若者三十名以内を改めて海外留学生として欧米へ派遣することとした。その先駆けとなったのが、東京開成学校の十一名であった。法学四名、化学三名、工学二名の九名は本科生たちで派遣先はいずれも米国。諸芸学予科一名はフランス、鉱山学予科一名はドイツという構成である。彼らは一八七五年七月三十一日に出発し、一八八〇年に帰国した。留学期間は五年間であった。

ついで翌年の一八七六年六月、文部省は再び東京開成学校より十名の留学生を選び、英国とフランスへ派遣した。法学三名、化学二名、工学三名、物理学二名である。いずれも二十歳前後の若者たちであった。六月二十五日に出発し、一八八一年に帰国した。彼らのうち、化学本科生は桜井錠二《じょうじ》と杉浦重剛《じゅうごう》の二人である。後で述べるように、桜井は英国到着後、ロンドン大学ユニヴァーシティ・カレッジへ入学し、ウィリアムの愛《まな》弟子となる。

彼らが英国へ向かう時の様子を、桜井の回想記から引用してみよう。

> 明治九年組の我々十名は、監督正木退蔵氏に引率せられ、米国を経て英国に渡航したのであるが、米国汽船会社のアラスカ号に便乗して明治九年の六月二十五日早朝、横浜を出帆した。而して我々一行以外の同乗者中には、井上馨、同夫人、同令嬢、日下義雄、曲木如長、天野湖二郎、佐々木長淳、図師民嘉の諸氏が居られたことを記憶して居る。なおアラスカ号の噸《トン》数は二千噸内外であったろうと思うが、今から考えると真に珍らしいことであると云うのは、同船は外車の蒸気船であ

り、しかも帆を備えて居たのである。而してその頃はホノルルに寄港することなく、桑港《サンフランシスコ》に直航したものであるが、これに二十五日間を費やして居る。すなわちその航程を四千七百浬《かいり》として計算すれば一時間八浬弱の速度であったことがわかる。米国では大陸横断の汽車が開通してからまだ数年を出でざる時代であったが、主要なる都市には汽車連絡の便があった。而して我々一行は桑港からシカゴ、ナイヤガラ、フィラデルフィヤ、ニューヨークの各地を巡遊して、フィラデルフィヤでは当時開催中の米国独立百年記念万国博覧会を見物したる後英国に渡航し、而して倫敦に到着したのは、偶然にも自分が満十八年と成った誕生日の八月十八日であった（桜井錠二『思出の数々』）。

アトキンソンのもとで、東京開成学校化学科の助手を務めた正木退蔵が留学生監督に任命され、桜井たちとともに再び英国へ渡ることとなった。小説家スティーヴンソンとのエディンバラにおける邂逅など、英国での正木の活躍についてはすでに触れた。

桜井と同じ船に乗っていた井上馨は、幕末の密航以来、十三年ぶりの海外渡航であった。今度は妻武子と娘末子も一緒である。財政経済研究のため三ヵ年のヨーロッパ滞在を命じられていたが、とりあえず英国ロンドンに向かった。井上のロンドン到着は九月十二日である。ロンドンでは「ハミリー」という著名な経済学者の家に下宿し、租税関係の勉強をしながら英国産業経済の実態をつぶさに観察した。井上は、国家を文明の領域に進めるためには、民力の養成と産業の発達が不可欠だと考える。そして、国力の発展には兵力や経済力ばかりでなく、国際的信義の問題が大きくかかわっている事実を改めて認識したのである。それは、ウィリアムの教えにもつながる、日本の近代化にとって乗り越えねばならない重要な課題でもあったのである。

第七章　「異質の調和」をめざして

Chapter 7
Towards Unity out of Difference

一八七八年、ロンドン大学ユニヴァーシティ・カレッジで前代未聞の大きな改革があった。男子学生と同じ資格で女子学生の入学を評議員会が許可したのである。近代史学者で、ユニヴァーシティ・カレッジの百年史を著したベロット（H. Hale Bellot）は、この出来事を「カレッジの歴史において最も革命的な進歩」(the most revolutionary development)であったと特記している。それは、英国の大学のみならず、ヨーロッパすべての大学にとっても画期的な出来事であった。この時、入学を許可された女性の数は男子学生の半数近い三百九名に達したという。もともとは「ロンドン婦人教育協会」（the London Ladies' Educational Association）の強い要求に促されて、カレッジが女性に門戸を開いたのだが、そのきっかけを作ったのは英文学教授のモーリー（Henry Morley）と物理学教授のフォスターであった。

モーリーとフォスターの二人は、一八六九年三月、ハーリー・ストリート（Harley Street）のベートーヴェン・ルーム（Beethoven Rooms）に初めて文学と科学の二つのコースを女性のために開講した。この動きはまたたく間に周縁に拡がりを見せ、その年冬にはカレッジ内に試験的に二つの科学クラスが設けられた。

一八七〇年から七一年にかけて女性のための講座を持ったのは、ウィリアムのほかに数学のハースト（T. A. Hirst）、ラテン語のシーリー（J. R. Seeley）、フランス語のカサル（H. C. S. Cassal）、それにモーリーとフォスターの六人であった。ウィリアム自身も早くから女性にも大学の門戸を開くべきだと考えていた。愛弟子でもあったフォスターが推し進めようとしていた「革命的」なカレッジ改革に、ウィリアムは自ら進んで協力を申し出たに違いない。それは、自らがめざす最高の信条「異質の調和」に相応しい教育理念だと思えたからにほかならない。男女が均等に高等教育を享受することで、文明は一層進歩発達するはずであった。

その後、フォスターとモーリーの尽力により、一八八二年十月一日、ビング・プレイス一番地（1

Byng Place）に女子学生用の寄宿舎が建てられた。カレッジ・ホール（College Hall）という。当初十人であった寄宿生たちの数も年を追うごとに増え、第二、第三の建物が建ち並び、通り一帯が大変賑やかになった。ビング・プレイスの通りは、ガワー・ストリートとはカレッジを挟んで直角に交わるところにあり、現在では学生街の中心地となっている。

時を同じくして、一八七八年、ウィリアムの化学講座から分離独立する形で、化学工学（Chemical Technology）の講座が新設され、それまでウィリアムのもとで助教授を務めていたチャールズ・グレアムが教授の職に就いた。グレアムの授業は、通常の化学の学生たちが使っていたのと同じ校舎で行われたため、ウィリアムは自分の授業用として新しい化学実験室を作ることを大学当局へ要請、カレッジの建物の北翼部分にその実験室が設置されることとなった。ウィリアムの化学を専攻する学生が新しい実験室へ移ったのは一八八〇年になってからであった。

ヘンリー・モーリー
Henry Morley
1822-1894
Williamson Collection / Phoebe Barr

ウィリアムの薫陶

明治日本の国費留学生である桜井錠二が、ウィリアムの研究室に初めて顔を見せたのは、恐らく一八七六年九月の頃であろう。かつてウィリアムの教えを受けた正木退蔵も一緒のはずである。十八歳になったばかりの利発そうなその若者の顔を見て、ウィリアムは長州や薩摩の若者たちがやってきた時のことを、まるで昨日のことのように思い起こしたに違いない。十年も前とはいえ、彼らの気概に満ちた思いつめたような眼差しは、今でもウィリアムの脳裡に鮮明に焼き付いていたからである。

桜井は、一八五八年（安政五年）に加賀藩に生まれ、幼名を錠五郎《じょうごろう》と称した。わずか五歳で父を亡くし、母や兄と共に貧困の中に暮らしたという。十二歳で金沢の英学校（七尾語学所）の英国人オズボーン（Percival Osborn）に英語を学び、語学力を身につけた桜井は、一八七一年上京して大学南校に入った。南校はのちに開成学校と名称を変える。東京開成学校で化学を専攻したことは前に書いた。なお、錠二と名を変えたのは、英国留学時代のことで、英国人がなるべく自分の名前を覚えやすいようにするためであったという。

ユニヴァーシティ・カレッジに入学してからの桜井については、彼の貴重な証言が残されている。少し長いが左に引用する。

英国では五ヶ年を通じて倫敦《ロンドン》大学で勉強した。而して化学はウィリアムソン博士の指導を受け、また物理学はフォースタ、ロッヂ両博士に学び、その他地質学、鉱物学などの講義にも出席した。而して第一年末の化学の試験では百数十名の受験者中一番で及第したので、その賞として金牌を授与せられ、またその翌年末には化学、物理学合併の競争試験にこれまた一番で合格したので、奨学金百磅《ポンド》（一ヶ年五拾磅宛二ヶ年）を授与されたことは、ともに全くの僥倖《ぎょうこう》であった。しかも当時はなはだ不足がちであった留学費（メキシコドルで一ヶ年一千ドルであったが、為替の関係で六百円ないし八百円位であったと思う）の補足として、さらにまた研究費として非常に役立ったことを今なお感謝している。研究は直接ウィリアムソン先生指導の下でこれに従事し、大したことも出来なかったが、留学中に二篇の小論文を発表して、これを倫敦化学会と英国学術協会総会とで報告した。また倫敦化学会会員に選挙せられたのも同地留学中のことであった（桜井前掲書）。

文中の「ロッヂ博士」とは、一八七九年から八一年までフォスターのもとで物理学の助教授を務めたオリヴァー・ロッジ（Sir Oliver J. Lodge）のことである。のちにバーミンガム大学教授となる。桜井は、一八七七年度の化学で一位、七八年度の化学・物理学の合同試験で主席をとり、奨学金百ポンドを獲得したことがわかる。桜井は名実ともにウィリアムの高弟として頭角を現し、一八七九年にはウィリアムの推薦でロンドン化学協会（The Chemical Society of London）の終身会員に選ばれる名誉を手にした。ちなみにロンドン化学協会の会員に日本人が選ばれたのは、桜井が最初ではない。七年ほど前の

オリヴァー・ロッジ
Sir Oliver Joseph Lodge
1851-1940
Wellcome Library, London

桜井錠二

1858–1939

英国留学中に撮影された名刺判写真。桜井が帰国の際、駐英公使であった森有礼に渡したもの。
同じ写真がウィリアムソン旧蔵アルバムにも収められている。

日本カメラ博物館所蔵

ユニヴァーシティ・カレッジ金牌

桜井錠二が留学1年目に授与されたもの。中央に「J.SAKURAI」の名前が見える。

画像提供：国立科学博物館

一八七二年七月二十五日、薩摩藩の留学生で当時は大蔵省の次官（大蔵少輔《しょうゆう》）を務めていた吉田清成が会員に選ばれている。推薦人はウィリアムのほか、バーフ、グレアム、フォスターの三人が名を連ねている。いずれも吉田が留学時代に教えを受けた人々である。なお、残されている選挙候補人証書（Certificate of a Candidate for Election）では彼の地位は Vice Minister of Finance である。証書にはフランクランドの名も載っている。吉田は、一八七二年二月、七分利付外債を募集するため、大蔵省より理事官として英米へ派遣された。この時に化学協会の会員に選ばれたと思われる。

近年（二〇一〇年）、桜井錠二の留学時代における新しい資料が見つかった。題して「明治九年英国留学の懐旧談」という。そこにウィリアムに指導を受けた時の状況が記されている。

私は五年間、明治九年から十四年まで始終倫敦《ロンドン》に居って倫敦大学に在学をしておりました。私の転学をしなかった理由は斯《こ》ういふものであります。私は化学の修行に留学を命せられたのでありまして、倫敦大学の化学の教授であるウィリアムソン先生が英国の第一流の化学者である而已《のみ》ならず世界に名を轟かしたところの大家でありまして、この先生に就《つい》て化学を研究をしたいといふのが一の理由であります。またこのウィリアムソン先生は日本の文化に就《つい》て深い関係を持って居ります。それは幕末に於て伊藤公爵、井上公爵、山尾子爵、井上（勝）子爵これ等の方が幕末に英国に行かれた時分にウィリアムソン氏の非常な声援になって居られることはいふまでもなく、井上子爵の如きは数年の間この人の家庭に於て生活をして居られた。私も亦《また》この先生の特別の愛顧を受けまして非常な利益を得た訳でありますが、私の今日あるは一にウィリアムソン先生の薫陶とその人格の感化による事でありまして、同博士の恩は終生忘るることの出来ないことでありますが、この先生を慕ふて英国に五年間在学して居った訳であります（石井紫郎「桜井錠二の『明治

九年英国留学の懐旧談』」『日本学士院紀要』第六六巻第一号)。

この記録(講演録)によると、桜井は当初からの予定通り、ウィリアムの研究指導を受けるべくユニヴァーシティ・カレッジに入学したことになる。長州の留学生たちを教導した実績も桜井の選んだ理由の一つであったことがわかる。東京開成学校でアトキンソンや正木からウィリアムの偉大な研究業績について教えられたことも大きく影響していたであろう。

四年間にわたり、ウィリアムから実に懇篤な指導を受けた桜井は、一八八〇年八月、これまでの研究成果を、ウェールズのスウォンジー(Swansea)で開催される英国科学振興協会(British Association for the Advancement of Science)の年次大会において、「二価の炭化水素基を含む金属化合物」("On metallic compounds containing bivalent hydrocarbon-radicals")と題して発表し注目を浴びた。あらかじめ発表原稿はウィリアムのもとへ送っておいた。八月二十日付でウィリアムから返事が届く。火曜日には自分もスウォンジーへ行くからそこで会おう。発表当日に化学分科会の座長(the Secretary of the Chemical Section)に渡すための論文要旨を用意するように、と忠告する(菊池好行「桜井錠二とイギリス人化学者コネクション」『化

吉田清成
1845-1891
日本カメラ博物館所蔵

学史研究』第三一巻第四号)。

山下愛子氏はこの研究について「有機水銀化合物CH_2HgI_2, $CH_2(HgI)_2$などをはじめて合成し、またメチレン基をもつ水銀ヨウ化物を塩化物に変えて、メチレン水銀ヨウ化塩化物を合成」したものであり、「これら一連の化合物は、その後次第に発展をみた有機金属化合物の研究に先鞭をつけたものであると共に、ウィリアムソンの基《き》の研究に端を発する構造化学上の重要な問題であった」(山下愛子「黎明期日本に化学の基礎を築いた桜井錠二――および彼をめぐる人々」『MOL化学技術誌』第四巻第六号)と高く評価している。

ウィリアムは桜井の研究成果に大いに期待していたようである。同じ手紙の冒頭部分で、自分は昨日スイスからロンドンに戻ったばかりだが、家族はもう少し山の生活を楽しむ予定だと、プライベートな内容を記す余裕を見せている。

この一八八〇年は、ウィリアムにとって嬉しい出来事がもう一つあった。薩摩の留学生であった森有礼に十五年ぶりに会えたことである。駐清公使や外務大輔《たゆう》(次官)の要職を歴任した森は、この年一月、新しい駐英公使としてロンドンに着任した。家族同伴の赴任であった。二月四日、ウィンザー城でヴィクトリア女王との謁見もすませ、翌日には妻である常子を同伴して英国議会の開院式にも列席し、各国外交団との親睦を深めた。謁見式の当日、待客室ではからずも首相のディズレーリ(Benjamin Disraeli, Earl of Beaconsfield)と会談する機会をもつ。保守党党首のディズレーリはアジア地域には多大の関心を抱いており、極東の小国日本の若い公使を大いに歓待してくれた。

時代の趨勢

一八八〇年初頭の英国議会は、最初から波乱ぶくみであった。首相のディズレーリは、自ら推進してきた帝国主義政策の危機に直面していた。一八七四年の第二次組閣以来、彼は一貫して積極的な対外政策を遂行してきた。一八七五年にはスエズ運河会社の持ち株を買収して東洋への通路を確保し、翌年ヴィクトリア女王にインド女帝の称号を贈ってインド支配体制を強化した。一八七八年、ロシアのバルカン進出を阻止することに成功、キプロス島を獲得した。だが、南アフリカで勃発したズール戦争やアフガニスタンでの反乱（第二次アフガン戦争）は、彼の政治生命を奪う。うち続く戦争で国民の間に厭戦気分が広がり、彼らの支持を失いかけていたからである。こうしたディズレーリの失政と民心の離反を利用して、この年再びグラッドストーン（William Ewart Gladstone）が政権の座に返り咲く。

一八八〇年四月の総選挙で自由党は大勝を博し、老グラッドストーンは第二次内閣を組織するに至った。それは、伝統的自由主義の復活であり、侵略的な「ジンゴイズム」（Jingoism）の敗退であった。だが、時代の趨勢《すうせい》はもはや、彼を自由主義的平和主義者としてのみ君臨することを許さなかった。英国の権益を守るため、グラッドストーンもまた、帝国主義的政策をとらざるを得なかったのである。帝国主義は、だれもが無視し得ない時代の趨勢となりつつあったのである。

ベンジャミン・ディズレーリ
Benjamin Disraeli,
1st Earl of Beaconsfield
1804-1881

ウィリアム・グラッドストーン
William Ewart Gladstone
1809-1898

ロンドンに着任して半年後の六月、森は日本の公使館を、これまでのケンジントン・パーク・ガーデンズ九番地（9 Kensington Park Gardens）からキャベンディッシュ・スクエア九番地（9 Cavendish Square）に移した。手狭になったこともあるが、大きな理由は国家の威信にふさわしい建物を手に入れる必要があったからである。日本は欧米列強諸国との不平等条約を改正すべく努力を重ねていた。条約改正を成功に導くためにも、森は交渉の最難関といわれていた英国に日本外交の一大拠点を築きたいと思っていた。

この建物は二十年ほど前までは残っていたが、現在は建て替えられている。もともと貴族のタウン・ハウスとして建てられたもので、堂々とした佇まいを見せていた。しかもリージェント・ストリートとオックスフォード・ストリートの交叉する近くで、多少繁華ではあるが、公館としては地の利を得ている。建物正面南側はスクエアの公園に面し、東側はチャンドス・ストリートからポートランド・プレイスに至る。高級ホテルのランガムとは目と鼻の先である。北側は医学協会の建物に続くところに中庭があり、厩舎と馬車小屋が備えられていた。

ここを拠点に森は外交活動を展開していくことになるが、本来の職務のほかに、知見を広め知識を磨くためにペル・メル街（Pall Mall）にある一流のクラブ「アセニーアム・クラブ」（Athenaeum Club）の会員となって文化活動にも努める。日本人としては初めての会員であった。このクラブで森は、ハーバート・スペンサーら著名な知識人と論争を交わしたり、演説を試みたり、また晩餐会も開いて知識階級との交流を深めた。

森はウィリアムの恩義を決して忘れてはいなかった。時期ははっきりしないが、公使としてロンドン滞在中、彼は大きな陶器製の花瓶を二つ、エマ夫人に贈った。その花瓶には、ヒナギク（マーガレット）の美しい絵付が施されており、エマも大変気に入っていたらしい。後年、息子のオリヴァーの手に渡ることとなる。ウィリアムと薩摩の留学生との絆はいっそう深くなっていくように感じられた。

森は日本の留学生たちの面倒を実によく見た。桜井もキャベンディッシュの公使館にたびたび顔を見せ、帰国の際には自分の名刺判写真を別れの挨拶にと森に渡したほどである。その時の写真も森の旧蔵アルバムにある。裏面に桜井の直筆で「With Joji Sakurai's kind regard, London. 17. vii. 81」と、感謝の言葉が記されている。一八八一年七月十七日に渡したものだとわかる。

桜井錠二が見た英国

桜井は英国での留学生活を大いに満喫し、勉学に遊びに明け暮れたようである。それには森の影響もあったかも知れない。桜井はいう。

自分留学時代の英国は、ヴィクトリア女王陛下御統治の下にその文化は実に赫《かがや》かしいもので、世界の文化を指導したかの観があり、而して各方面に偉大なる人物が傑出して居たのである。……自分はこの偉観に幾分陶酔したものであるかも知れんが、斯《か》かる時代に英国に在りながら五年間を単に研究室と下宿屋とで過すことは如何《いか》にも惜《おし》い、否《いな》間違ではあるまいかと云ふ風に考へ、……それのみならず同窓の英国学生中に多くの親友が出来て、その家庭には始終遊びに行き、また晩餐や舞踏などに招かれて出かけ、而して夜半過あるいは場合によると翌朝までも踊り続けたこともある。以上の様なことは留学生の分に過ぎたる振舞であると非難する人があったかも知れない。

森有礼（1885年）

駐英公使の任期を終えた翌年、
文部大臣として伊藤内閣に入閣した頃の写真。

筆者所蔵

旧在英日本公使館（キャベンディッシュ・スクエア）

森有礼が日本公使館を移した建物。現存していない（1991年撮影）。
筆者撮影

アセニーアム・クラブ

駐英公使の森有礼が英国知識人らと交流したクラブ。

また現にあるかも知れん。しかしながら偉大なる英国文化の背後には慇懃《いんぎん》にして穏健なる国民があり、また礼儀作法整然として、しかも団欒《だんらん》たる家庭のあることを親しく体得したる自分には、実に貴きしかもまたと得難き修養であった（桜井前掲『思出の数々』）。

桜井は五年間の留学生活で、森がそうであったように、いわば文化相対主義者（relativist）としての姿勢を身につけたと考えられる。自らこの修養をcultural trainingと呼んでいるが、単なる英国文化崇拝の観念ではなく、日本文化の担い手たる自分と、政治・学問・作法・家庭において異質ではあるが優れた英国文化の担い手である英国知識人との違いを充分認識した上で、彼らとの交際を通じて、英国文化の優れた点を積極的に受け容れていこうとする姿勢である。それは、師であるウィリアムの世界主義的な「異質の調和」の思想にも通じる視点であった。のちに桜井が「科学の外交官」と呼ばれる所以である。帰国後、この考え方は、日本における近代科学の教育法に大きく生かされていくことになる。

一八八一年七月、桜井は帰国する。ロンドンを離れるにあたって、ウィリアムとエマをプリムローズ・ヒル・ロード一五番地（15 Primrose Hill Road）の家に訪ねた。彼らはフェローズ・ロードの家から引越したばかりであった。ウィリアム夫妻にとっては三つ目の住居である。桜井は二人に感謝の言葉を述べたあと、エマにお別れの品を贈った。青い地の素敵な日本製の飾り額であった。これものちに息子のオリヴァーに譲られることとなる。

日本人化学者の先駆として

帰国した桜井は東京大学理学部講師に任じられる。これより先の一八七六年十月二十日、東京開成学校校長であった畠山義成は、米国フィラデルフィア万博視察の帰途、病のため太平洋上で客死した。三十七歳の若さであった。翌一八七七年四月、東京開成学校は東京医学校と合併して東京大学となった。畠山の後を承けてドイツ学の先駆者として知られた加藤弘之《ひろゆき》が東京大学綜理（のち総理）の職に就く。桜井は留学中に、加藤から帰国後は東京大学に奉職すべき旨の知らせを受けとっていた。外国人ではなく日本人の専門研究者を教授に据えることが、東京大学の悲願でもあった。

帰国の翌年桜井は弱冠二十四歳で理学部における日本人初の化学教授に就任した。以後、三十八年にわたり教授職を務め、日本化学界の泰斗として君臨することとなる。桜井の化学教授法は、ユニヴァーシティ・カレッジで受けたウィリアムの教授法を踏襲していた。授業を始めるにあたって、「化学と物理学との関係」を説明して、こう述べた。

物理学の助けを要せずして化学分析に熟達し得るものはこれあり、然れども唯その分析するを以て化学の趣意となすにあらず。化学は原子の震動に因て生ずる所の変化を審究するの学なり（山下前掲論文）。

一つの科学としての化学の立場を明確に示した上で、近代化学としての原子、原子量等、化学用語の定義と訳語の統一を図ったのも桜井の功績であった（山下前掲論文）。そして、「理学者の快楽」とは、「自身の研究によりて世界の知識を増進して、すなわち知識城の職人たるの栄位置に立ち得る事を云ふなり。これ真の理学者の以て最上の栄誉かつ快楽となすところなり」（『東洋学芸雑誌』八四号）と述べ、世界主義的立場から科学者の役割を充分に認識すべきを求めている。

余談ながら、日本食の旨味《うまみ》のもとである「味の素」の発見者で、作家夏目漱石との交友でも知られる化学者池田菊苗《きくなえ》は、桜井の愛弟子である。ちなみに、池田の妻は桜井の妹で、漱石が勤務した熊本の第五高等学校校長は桜井の兄房記であったことから憶測して、池田と漱石の二人をロンドンで初めて引き合わせた仲介者は桜井であった可能性が高いという説もある（小山慶太「ロンドンの漱石と二人の化学者」『早稲田人文自然科学研究』第二七号）。意気投合した二人は、二ヵ月間下宿を共にし、科学論から文学論に至るまで大いに議論を闘わせて楽しんだという。あるいは池田を介して、漱石にもウィリアムの話が伝わっていたかも知れない。ここにも歴史の持つ妙味が感じられる。

ハイ・ピットフォールド・ハウス

ところで、一八八二年一月四日付、五月十二日付の二通の手紙が、ウィリアムのもとに桜井から届いた。手紙には例の金属化合物に関する研究論文の続篇が同封されていた。ウィリアムは、早速この論文を、サウサンプトンで開かれた英国科学振興協会の年次総会で桜井に代わって発表、化学分科会のメンバーから非常な賞賛を受けた。

ウィリアムは、九月十九日付の長い返信の中で、このことを桜井に告げると同時に、彼が日本で活躍していることを喜び、日本にとっても非常に価値あることだと励ます。さらに桜井の友人や日本からの留学生たちを、われわれは喜んで迎えるだろうと期待を寄せる。

そして、最近の自分の生活動向に触れつつ、英国社会全体の風潮が変わりつつあることを述べる。この時、彼はバークシャーのクロウソーン（Crowthorne）にあるウェリントン大学（Wellington College）近くの場所で休暇を楽しんでいた。ウィリアムは、「この付近の土地（soil）は全くの砂地で農業にはほとんど適さない」と記し、農業に深い関心を示す。また、「君が英国を離れてから、最も顕著な社会変化の一つは、ローンテニスが発達したことだ。子供たちも大変面白がっている。女の子たちが参加できる数少ない活動的なアウトドアゲームであって、今後は重要な健康に良い運動となることは確かである」と、アスレティシズム（Athleticism）の観点から、英国社会そのものが大衆化の方向へ大きく舵を切っている状況を報告している。

ここからは、ウィリアムの関心が純粋学問や科学的法則の世界から、自然環境や人間の身体、健康など生活環境の世界へと大きくシフトしている様子が読み取れる。この手紙を書いた時点で、ウィリアムは恐らく農村地域へ移住する決意を固めていたに違いない。

彼がロンドンのウィルズデン（Willesden）に持っていた土地を売って、サリー州へイズルミア（Haslemere）近くのハイ・ピットフォールド（High Pitfold）に広大な土地を購入したのは、これから間もなくの一八八五年のことである。

ヘイズルミアの町は、ロンドン中心部から南西方向へ約七十キロほど下がったところにある古い谷間の町である。ウェスト・サセックスとの州境に位置している。現在はウォータールー駅から電車で小一時間ほどの距離である。昔から楽器をはじめとする工芸品の町として栄え、今でも街道沿いには美しい古い民家の街並みが残っている。周辺は奥深い森林に囲まれているが、町の南にあるブラック・ダウン（Black Down）と呼ばれる小高い丘の近くにヴィクトリア朝を代表する桂冠詩人テニソンが暮らし、詩想を練ったという。

このヘイズルミアの西の町はずれ、ウェイ川（River Wey）沿いにショッターミル（Shottermill）という風光明媚な美しい村がある。かつてピットフォールド荘園（Pitfold Manor）の一部をなしていた。最後の領主をジェームズ・ベーカー・ジュニア（James Baker Jnr.）といったが、一八八一年に破産して多くの農園が人手に渡った。ウィリアムが購入したのは、旧ハイ・ピットフォールド農園（High Pitfold Farm）の一部で、ポーツマス・ロード（Portsmouth Road）にまたがる土地であった。彼はここに一軒の大きな家を建てて、自ら「ハイ・ピットフォールド・ハウス」（High Pitfold House）と呼んだ。

その家は今に残り、ウィリアムが生きた時代を厳かに伝えている。典型的なヴィクトリアンゴシックスタイルの家で、外壁は一階部分が赤煉瓦（ブリック）、二階部分はうろこ型の赤瓦でおおわれ、見事なコンビネーションの景観をもたらしている。屋根はこげ茶のスレートぶきという凝った造りとなっている。

未来と過去という両極端の要素を大胆に建築様式に採り入れたとされるヴィクトリアンスタイルを、ウィリアムは特に気に入っていたに違いない。一八八五年頃から、ロンドンではデザイナーや装飾家たちが「芸術の統合」という理念を掲げて、「アーツ・アンド・クラフツ運動」（the Arts & Crafts）を展開していた。中心にはウィリアム・モリス（William Morris）やジョン・ラスキン（John Ruskin）らがいた。彼らのいう「芸術の統合」とは、造形芸術をジャンルの枠にとらわれず再構築しようとするもので、多くの新進建築家や若いデザイナーたちによって支持された。一八八八年には、第一回のアーツ・アンド・クラフツ展覧会がロンドンで開かれ大衆の人気を博した。ウィリアムも「アーツ・アンド・クラフツ運動」には大いに関心を示し、自ら掲げる「異質の調和」の理念にも通じると考えたのではないだろうか。彼が建てたヴィクトリアンゴシックスタイルの家は、「異質の調和」の理念を形として具象化したものといえるかも知れない。

「ハイ・ピットフォールド・ハウス」の周辺には青々とした牧草地が広がり、牛や馬が悠然と草を食む。さらにその周りを森や木立が取り囲み、何ともいえず幽玄な深い陰影を作り出している。

一八八七年、ウィリアムは、三十八年間の大学生活を終え、ユニヴァーシティ・カレッジから名誉化学教授（Emeritus Professor of Chemistry）の称号を与えられた。六月十四日に後任の化学教授ウィリアム・ラムゼイ（Sir William Ramsay：第四回ノーベル化学賞の受賞者）の司会で退官講義が行われた。演題は彼が得意とする「原子運動論」（atomic motion）であった。

ウィリアムとエマは、家族とともに新たな希望を胸に「ハイ・ピットフォールド・ハウス」に移り住んだ。新しい生活は苦しくはあったが希望があった。農業の知識は無いに等しかったが、「科学的原理」（scientific principles）を探究するために、彼は農作業に没頭した。時にはグラッドストーン内閣のアイルランド政策に反対して、近隣の友人ジョン・ティンダル（John Tyndall）とともに地元の政治活動に参加することもあった。ティンダルは自然哲学の教授で、一八八三年以来ハインドヘッド（Hindhead）に住みウィリアムとは馬が合ったようである。また、彼はショッターミル行政区委員会のメンバーにもなり、「労働者クラブ」（Working Men's Club）の設立にかかわるなど、地元住民たちの生活環境の保護改善のため積極的に行動することを惜しまなかった（Greta A. Turner. Shottermill: *its Farms, Families and Mills Part 2 - 1730 to the Early 20th Century*）。

科学と自然の調和

こうして、ウィリアムは美しい自然環境の中に身を置いて、慣れない農作業に勤《いそ》しむことで新たな自己再生に取り組もうとしていたに違いない。近代科学と自然環境の調和こそ近代文明がめざすべきものとの強い思いがあったのかも知れない。七十歳を超えた頃から彼の体は徐々に衰えを見せ始めた。ロンドンに出るのも儘《まま》ならなかった。一八九八年十一月十一日に、化学協会が過去の会長経験者たちのために開いた晩餐会に出席したのが、恐らくウィリアムにとっては最後のロンドン行きになるはず

ハイ・ピットフォールド・ハウス

撮影：佐藤暢隆

ハイ・ピットフォールドの風景

撮影：米持洋介

であった。しかし、周囲が止めるのもきかずに、その後も数回ロンドンに足を運んだため、チャリング・クロス駅で転んで左腕の骨を折るというアクシデントに見舞われた。一九〇一年のことである。ウィリアムは、以前のように体を動かすことができなくなった。

一九〇一年一月二十二日、ヴィクトリア女王が死去し、エドワード七世が王位を継いだ。英国が最も華やかに輝いていたヴィクトリア時代の終焉は、画期的な西欧文明を切り拓いてきた十九世紀という時代の終幕でもあった。進歩と繁栄の時代に、自らの生きる希望を見出してきたウィリアムにとっても、女王の死は大きな衝撃であった。

衰えを感じて家に籠りがちとなっていたウィリアムに朗報が届いた。桜井が近々英国に来る、というのである。エマはすぐに手紙を書いてロンドンの日本公使館へ送った。

桜井錠二が帰国してからすでに二十年の歳月が過ぎていた。桜井は東京帝国大学理科大学教授として、日本化学界ですでに押しも押されもせぬ地位にあった。初代文部大臣森有礼が行なった革新的な教育制度改革により、東京大学は帝国大学と改称されて欧米並の近代的な大学に生まれ変わった。同時に森が創設した学位令によって桜井は、日本初の理学博士の称号を与えられた。欧米の教育機関視察とグラスゴー大学創立四百五十周年祝賀式典に参列のため、桜井が横浜を出帆したのは一九〇一年五月三日であった。米国経由で英国リヴァプールに到着したのは、六月六日早朝である。ロンドンに着くと、彼はグロヴナー・ガーデンズ四番地（4 Grosvenor Gardens）に移っていた日本公使館に林董《ただす》公使を訪ね、ケルヴィン卿（ウィリアム・トムソン）に贈るべく日本政府から預かってきた勲章を渡し、その足でケルヴィン邸を訪問。さらに長年日本の大学に奉職し帰英したばかりのエドワード・ダイヴァーズを訪ねてその労をねぎらった。宿は旧日本公使館があったキャベンディッシュ・スクエアに近いランガム・ホテルである。

公使館で桜井はエマ夫人からの手紙を受け取った。そこには、ウィリアムが最近転んで大怪我をしたが、今は大分よくなっている。是非会いたいと認《したた》めてあった。驚いた桜井がハイ・ピットフォールド・ハウスにウィリアムとエマを訪ねたのは、翌日六月七日のことである。

ウィリアムとの再会の様子が桜井の手で鮮明に甦る。桜井は沸き起こる感情を抑えきれぬままに語る。

当年七十七の高齢に達せる恩師ウィリアムソン博士が途上にて卒倒し、為めに左腕を折り一時は重体なりしと聞きたる余の驚愕心痛一方ならず。翌日直ちにヘーズルメーヤ（倫敦を去る約八十哩）なる博士を見舞ひけるが、博士は夫人に扶《たす》けられて態々《わざわざ》余を玄関まで迎ひ出でられたり。親の如き恩師とその夫人とに二十年の久振《ひさしぶ》りにて再会せしその時の余の嬉しさ懐しさ禁ぜんと欲するも能《あた》はざりしなり。博士もまた両眼を濕《うる》はせつ余を抱き寄せて接吻せん計《ばか》りに喜ばれ、その情愛の濃《こまや》かなること親子の間もただならざるほどに感ぜり。博士の怪我は幸にして殆ど全癒せしも、高齢なるが上に大患後のことなれば、身体大に衰弱し、誠に痛ましき限りなりき。しかしながら博士の精神には別条なく相変らず爽《さわや》かなる弁舌を以て新旧の事柄に快談の断へる間なく、殊に我邦

桜井錠二（1900年）

小川一真『東京帝国大学』より／国立国会図書館所蔵

上 - 東京帝国大学理科大学（1900年）
下 - 東京帝国大学応用化学実験室（1900年）

小川一真『東京帝国大学』より / 国立国会図書館所蔵

ザ・ランガム・ロンドン

桜井が宿泊したランガム・ホテル。1865 年の開業当時、ロンドンで最大にして最高級のホテルであった。
写真提供：The Langham, Lodon

の政治、経済、軍事、学術、工業等に談柄《だんぺい》を及ぼして、その著大なる発達を為せるを悦ばるることと非常なるものありしなり。けだし博士は我邦の開明に深き関係を有する人にして今の伊藤公（ママ）爵、井上伯爵、故森子爵等が初めて洋行して英国に赴かれたる時、侯、伯、子等は、或は博士方に寄寓し、或は語学教師の雇入より衣服の調達に至るまで万事博士の世話を受けしことなりとは、余のかつて伊藤侯より聞き、博士の談話によりてもまた兼《かね》て承知せる所なり。また今の公使林子爵、文相菊池男爵、故外山《とやま》正一《まさかず》君等が初めて英国に留学せられたるとき、故キー教授の薫陶を受けられしことなるが、同教授の女《むすめ》は、すなわち博士の夫人なり。その後博士の門に入りて薫陶を受けたる本邦人数多あるのみならず、元の開成学校および旧工部大学校に適任の外国教師数名を得たるも、その人選に博士が尽力せられたるの結果に外ならず。而して博士が有名なる化学大家にして、つとに新学説を唱導し、非凡なる卓見と数多の貴重なる研究とによりて五十年以前に於てすでに燦爛《さんらん》として拭ふべからざる名跡を化学史上に遺《のこ》せる一事に至りては世人のすでに知れる所なるべし（桜井錠二「欧米巡廻雑記」『東洋学芸雑誌』第一九巻二四九号）。

師弟の情を髣髴とさせる一文である。加えて、ウィリアムの日本の近代化に果たした役割、日本との深い絆、化学者としての功績などが短い中にも簡潔に語られており、読む者を惹きつける。ウィリアムの最晩年の姿を語る資料としても貴重である。文中に、林董《ただす》、菊池大麓《だいろく》、外山正一《まさかず》の話が出てくるが、彼らは一八六七年一月に英国へ渡った幕府留学生たちである。彼らは十一月にロンドン大学ユニヴァーシティ・カレッジの付属中学（University College School）に入学し語学力を磨くが、当時の校長がエマの父トーマス・ヒューイット・キー教授であった。彼は一八七五年まで同校の校長を務めた。

「異質の調和」の精神

桜井の文章からはウィリアムが日本の近代化事業全般にわたって、老いてもなお多大な関心を寄せていたことがうかがえる。「異質の調和」を生涯における一大事業とみなす彼にとって、英国の近代化学、あるいは近代科学研究法そのものを、日本の近代化事業に接ぎ木し得た喜びは何ものにも代え難かったに違いない。まさに英国文化と日本文化の融合を意味したからである。

唯一のウィリアムソンの評伝『ギーセンからガワー・ストリートへ』は、次のように記す。

ウィリアムソンはこれらの近代日本のパイオニアたちすべての仕事に大きな関心を持った。彼らのほとんどはウィリアムソン夫妻とたびたび手紙を交換し、それは生涯続いただけでなく、次の世代まで受け継がれた。日本からの手紙はウィリアムソンの最初の指導と恩恵に対して、深い感謝と崇敬の念を込めて綴られている（J.Harris, and W. H. Brock, op. cit.）。

ウィリアムは、化学の問題だけでなく、「近代日本のパイオニアたちすべての仕事」に関心を払い、彼らが祖国でどのような貢献をしているかに注目していた。帰国後彼らから届く手紙を注意深く読み、返事には励ましの言葉とともに適切な助言を書くことを忘れなかった。手紙に添えて日本から贈り物が届くこともあったし、彼らが英国を訪れる機会があった時には、必ず日本の珍しいみやげを持って来てくれたりした。エマの遺品リストには、先に記した品物以外にも次のような品々が並んでいる。

伊藤博文　薩摩焼の大花瓶二個
銅製の大花瓶二個（夫妻へ）
銀製の獅子香炉（伊藤夫人よりエマ夫人へ）
刺繍入りの白い絹のドルマンと深紅の絹のショール（エマ夫人へ）
コーヒー色の日本のショール（エマ夫人へ）

井上　勝　日本の扇（エマ夫人へ／一九一〇年訪問時のプレゼント）
七宝焼きのセット―ティーカップ五、受皿六、大皿、水差し、キャンディー入れ（夫妻へ）
日本のバッグ（エマ夫人へ）
ケース入りの日本人形（井上の娘よりエマ夫人へ）

吉田清成　大きな日本の飾り箱―真珠の象眼が施された美しい漆器（夫妻へ）
日本の陶器製湯呑と受皿十二客（エマ夫人へ）

桜井錠二　菊や蝶の刺繍のある日本のテーブルクロス（エマ夫人へ）
日本のテーブルセンター（エマ夫人へ）

この他に、天皇が所持していたといわれる文箱（A long Japanese letter box）も贈られている。森有礼が駐英公使時代に贈った花瓶などを含めれば、かつての留学生たちから実に数多くの感謝の品が、ウィリアムたちのもとに届いていたことになる。この品々を見ると、彼らが後々までウィリアムやエマにいかに恩義を感じていたかがよくわかる。精神的な日英交流の原点を、ここに垣間見るような思いさえしてくる。

先のウィリアムソン評伝の中で、著者は、桜井について「彼は西欧の教授たちが献身的に指導したにもかかわらず、故国の人々が科学そのものを勉強する精神をまだ理解せず、ただ産業に直接応用できる研究結果だけを評価していることに悲嘆した」と書いているが、ウィリアムが日本の若者たちに懸命に伝えようとしたのも、まさに技術だけでなく「科学そのものを勉強する精神」(the spirit of studying science for its own sake)であった。一九一六年に桜井が、アドレナリンを発見した高峰譲吉や実業家である渋沢栄一らとともに、日本で純正理学的研究を根付かせるべく理化学研究所を設立し、学術研究を支援するため、一九三一年に日本学術振興会を組織したのも、すべて日本人研究者たちにこの「科学そのものを勉強する精神」を理解させ浸透させる必要があったからに他ならない。ウィリアムが日本人たちに伝えようとした「科学の精神」の橋渡し役として、桜井は自らを任じていた。

ウィリアムは、「西欧科学の精神」を日本に植え付けることで、真の文化的融合、すなわち「異質の調和」が成り立つと考えていた。彼は誰よりも自分に対して厳しく、また「科学を代表する人間として、自分の立場に対して高い責任感」を有し、真理に対して常に強い敬意を払うことを忘れなかった。哲学的で真摯で広い心の持ち主であった。

桜井と会えたことで、自分の追い求めてきた「真理」は彼にしっかりと伝えられた、とウィリアムは確信したに違いない。桜井が帰国してから、ウィリアムは床に就くことが多くなった。

「異質の調和」を象徴するハイ・ピットフォールド・ハウスでウィリアムが家族に見守られながら静かに息を引きとったのは、一九〇四年五月六日のことである。八十歳の誕生日を迎えたばかりであった。死因は老衰であった。

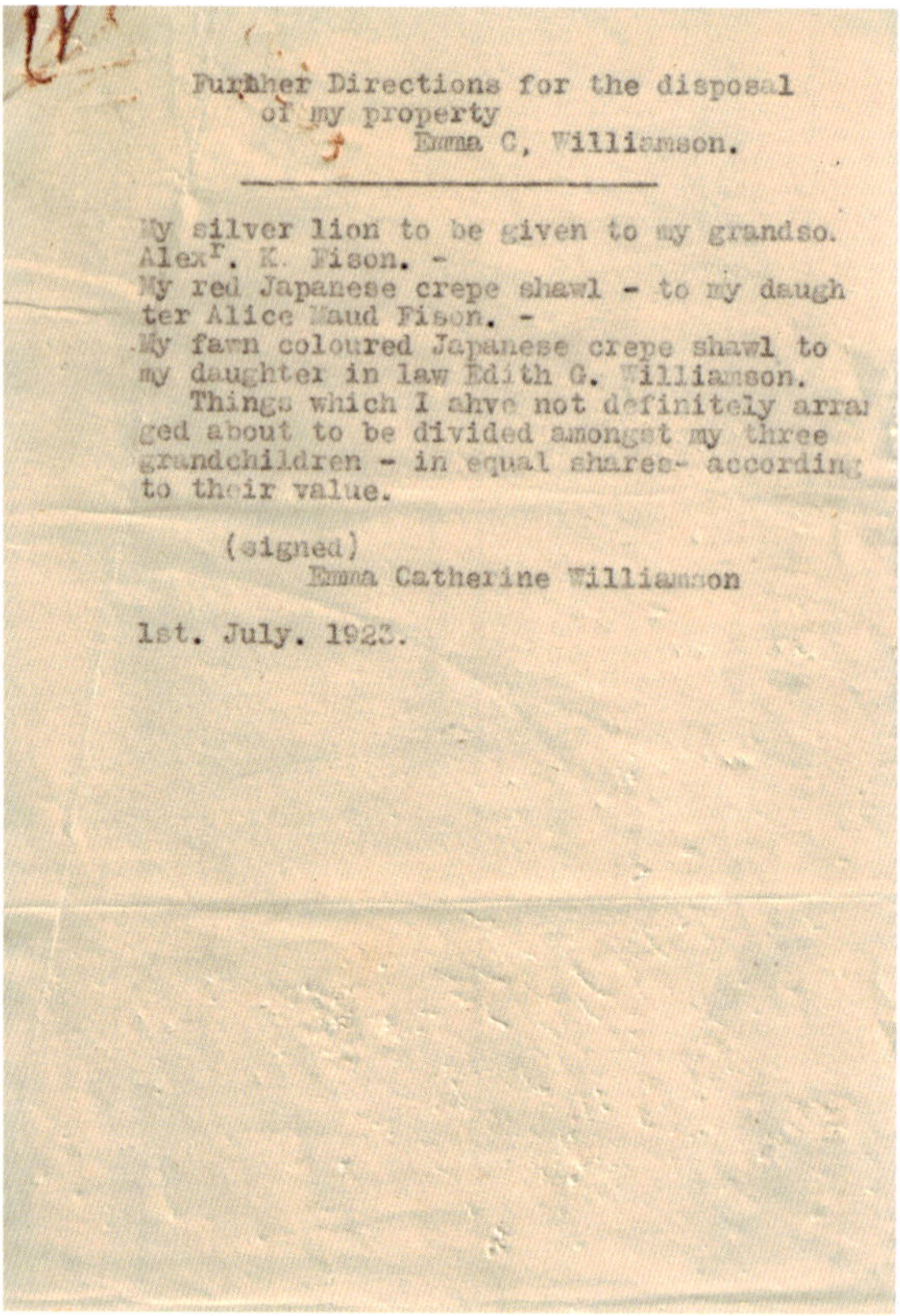

Further Directions for the disposal
of my property
Emma C, Williamson.

My silver lion to be given to my grandso.
Alexr. K. Fison. -
My red Japanese crepe shawl - to my daugh
ter Alice Maud Fison. -
My fawn coloured Japanese crepe shawl to
my daughter in law Edith G. Williamson.
Things which I ahve not definitely arra
ged about to be divided amongst my three
grandchildren - in equal shares- according
to their value.

(signed)
Emma Catherine Williamson

1st. July. 1923.

エマ夫人遺書（追記部分）

1923年7月1日付。遺書の本編は1913年3月7日に書かれている。

Courtesy of the Williamson Family

銀製獅子香炉（大島如雲作）

エマの遺品。伊藤博文夫人からエマへ送られた品。

Courtesy of the Williamson Family

象牙骨生地扇子

エマの遺品。複数ある扇子のひとつ。日本人留学生から贈られたものと思われる。

Williamson Collection / Phoebe Barr

遺骸は一週間後の五月十三日、四人の日本人留学生たちが眠るブルックウッド墓地の南側の墓域（Plot 31）に埋葬された。留学生たちの墓のすぐ近くである。生前からウィリアムはここに埋葬されることを望んでいたのであろう。喪主はアップ・バークリー・ストリート五五番地（55 Up Berkeley Street, Portman Square）に住む息子のオリヴァーであった。

それから二十年の歳月が過ぎた。一九二三年九月二十七日、妻のエマが逝った。九十二歳であった。亡くなった場所は、ダートマス・ロード一四七番地（147 Dartmouth Road, Brondesbury）である。エマは詳細な遺書（遺品リスト）を残していた（一九一三年三月七日付と一九二三年七月一日付追加）。その冒頭に、自分の遺骸はお棺または龕に納めて、ウィリアムと一緒の墓に埋葬すること、しかもできるだけ費用をかけないこと、と記されている。二人がいかにお互いを信頼し合った、相思相愛の仲睦まじい夫婦であったかがわかる。遺言どおり、エマの遺体は一九二三年十月一日、ブルックウッドに埋葬された。

ブルックウッドの広大な墓地の片隅に、ひときわ質素な墓石がひっそりと立っている。そこにはウィリアムとエマの名前、そして生没年月日の文字だけが小さく刻まれている。

ALEXANDER WILLIAM WILLIAMSON
F. R. S.
BORN MAY 1ST 1824.
DIED MAY 6TH 1904.
AND HIS WIFE
EMMA CATHERINE WILLIAMSON
BORN JUNE 18TH 1831.
DIED SEPTEMBER 27TH 1923.

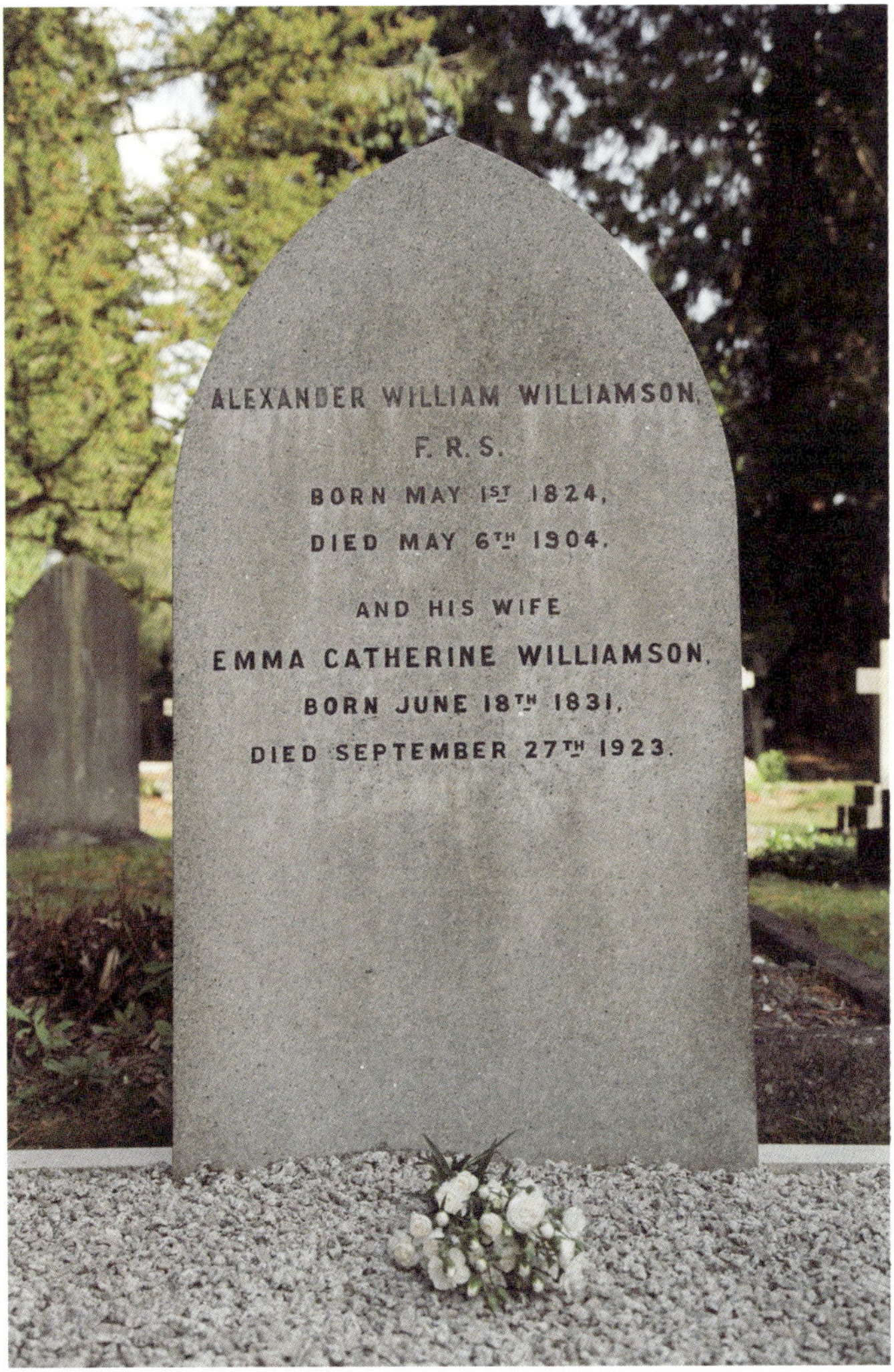

ウィリアムとエマの墓

ブルックウッド墓地に佇むウィリアムとエマの墓標。長年の風雪によって
老朽化が進んでいたが、2012 年に有志によって補修がなされた。

撮影：佐藤暢隆

ALEXANDER WILLIAM WILLIAMSON,
F. R. S.
BORN MAY 1st 1824,
DIED MAY 6th 1904.

AND HIS WIFE
EMMA CATHERINE WILLIAMSON,
BORN JUNE 18th 1831,
DIED SEPTEMBER 27th 1923.

John Fison

あとがき

Epilogue

太宰府天満宮近く福岡筑紫野に建つ浄土真宗正行寺は、わが国古来の伝統音楽である雅楽を奏する団体「筑紫《ちくし》楽所《がくそ》」を擁した数少ない寺院の一つである。雅楽が奏でる「和」の響きを仏教の教義「三宝」に比して大切にしていると聞く。

その正行寺において、二〇一二年一月二十九日、十九世紀英国の化学者アレキサンダー・ウィリアム・ウィリアムソン博士夫妻を顕彰するための小さな会が開かれた。正行寺の住職竹原智明師を中心に、ユニヴァーシティ・カレッジ・ロンドンの元副学長ジョン・ホワイト教授（Professor John White）、同大学客員教授で正行寺ロンドン支院（三輪精舎）の主管佐藤顕明師らの呼びかけに応じて、ウィリアムソン博士にゆかりのある人々や日英交流団体の面々が東京、福岡、山口、佐賀、鹿児島から多く集まった。

会の趣旨は、幕末から明治にかけて英国に渡った日本の若い留学生たちを、ウィリアムソン博士が懇篤に指導し、エマ・キャサリン夫人とともに彼らをまるで家族のように愛し、親切に世話をしてくれたことへの感謝の念を、日本人として何らかの形で表す必要があるのではないか、というところにあった。ウィリアムソンの直弟子であった東京帝国大学教授桜井錠二が、かつてウィリアムソンのことを「日本の恩人」と称し、日本に対するその計り知れない貢献を讃えたが、現代の日本では彼の存在は全く忘れ去られている。

世界各地で対立や紛争が続き、混迷の度を増す現代社会において、「異質の調和」を生涯の理念とした英国の化学者の功績を、かつて恩を受けた日本人が改めて評価し直すのは時宜を得た行為であり、歴史的にも重要なことではないだろうか。

会では、ウィリアムソン夫妻の顕彰碑を、墓のある英国ブルックウッドに建立し、またウィリアムソンの伝記を出版することが決まった。顕彰碑は、ホワイト教授の指導と努力により二〇一三年五月に完成、同年七月二日、ブルックウッドにおいて、ユニヴァーシティ・カレッジ・ロンドン学長マルコム・グラント教授（Professor Malcolm Grant）、王立化学協会最高経営責任者ロバート・パーカー博士（Dr. Robert Parker）ら英国内外の賓客列席のもと、盛大な除幕式が執り行われた。林景一駐英大使の手で除幕され、さらに安倍晋三首相の名で、ウィリアムソン夫妻に対する感謝状がグラント学長に贈られるという一幕もあった。除幕式終了後、引き続きウィリアムソン博士夫妻の墓前において関係者による献花が行われた。さらに、「筑紫楽所」による雅楽演奏が行われ、ウィリアムソン博士の「和」の精神を讃えるかのように厳かな調べがブルックウッドの森深く響き渡った。

二〇一三年は、長州の五人の若者たちが英国に留学してから百五十年の記念すべき年でもあった。七月三日には、ユニヴァーシティ・カレッジ・ロンドンにある長州と薩摩の留学生二十四名の功績を讃えた記念碑の前で、記念のセレモニーが催された。この記念碑はやはりホワイト教授が制作にかかわったものであるが、日本側を代表して私が文案を練り、刻字を担当した思い出深い作品である。除幕式は二十年前の一九九三年九月二日であった。石碑の右側面にはホワイト教授の作った俳句が刻まれている。「はるばると　こころつどいて　はなさかる」。国境を越えても人々の心は通い合い、花を咲かせる、という気持ちを詠んだものだという。この俳句の意味を教授から聞かされた時、ユニヴァーシティ・カレッジが長い間培ってきた伝統的精神を、そこに見る思いがした。それは、日本人留学生たちを教え導いたウィリアムソン博士の「異質の調和」の理念とも共通するものであった。

会の第二の目的であるウィリアムソン博士の評伝出版計画も順調に進められた。ロンドンではホワイト教授や佐藤顕明師らを中心に精力的な資料収集が行われ、英国の研究者も知らないような多くの貴重な資料が発見された。また、正行寺の竹原慶明師をはじめ、本書編集の労を担われた佐藤圓明師、デザイナーの米持洋介氏、写真家の佐藤暢隆氏が直接渡英し、現地資料の確認を行いつつ、ウィリアムソン博士の足跡を訪ねて数多くの貴重な現地写真を撮影してきた。

こうした厳密な資料収集と徹底した現地取材の上で、はじめて評伝を執筆する準備が整った。昨年夏前に書き始めた私が、ようやくその筆を擱《お》いたのは、師走の風が吹こうとしている季節であった。今年、二〇一五年は、薩摩藩の留学生十九人が英国に渡ってからちょうど百五十年の節目にあたる。この記念すべき年に、ウィリアムソン博士の評伝を出版できる目処がたったことに安堵しつつ、改めて責任の重さを感じないわけにはいかない。

本書で私は、世界史的な時代背景の中で、ウィリアムソン博士の人となりを、資料に基づいてありのままに描こうと思った。「まえがき」にも記したように、そのキーワードは「異質の調和」である。また、ウィリアムソンを中心軸にして、日本の近代化がいかにして進んでいったのか。彼の周辺を彩る人々と日本の留学生を同心円的に配置しながら、そのメカニズムを解明できれば面白いのではないかとも思った。副題を「ヴィクトリア朝英国の化学者と近代日本」としたのは、そのためである。

私の拙い文を補って余りあるのはその見事な写真群である。プロの写真家ならではの影像ショットであろう。文章を読み写真を見ながら、ウィリアムソンが生きた時代とその雰囲気を感じ取っていただけたら幸いである。

本書が完成するまで実に多くの方々のご支援とご協力をいただいた。

正行寺住職の竹原智明師とウィリアムソン教授御夫妻を顕彰する会の事務局長の井田出海氏には本書の出版全般にわたってお世話になった。感謝申し上げる。またジョン・ホワイト教授と佐藤顕明師には英国におけるウィリアムソン関係の資料調査と収集で多大なご尽力をいただき、普通ならば閲覧不可能なユニヴァーシティ・カレッジ・ロンドンの貴重な資料までご提供いただいた。佐藤顕明師は、さらにウィリアムソンの旧居を丹念に調査して下さったばかりか、ご子孫までも探していただいた上、その方々がウィリアムソン夫妻の遺品をお持ちだという情報を提供していただいた。その情報に私は耳を疑うほどの驚きと喜びを感じた。こうした資料の発見がなければ、本書を書き上げることも不可能であったに違いない。改めて深い感謝の念を表したい。

とくにウィリアムソン博士の曽孫にあたられるジョン・ファイソン氏（Mr. John Fison）には、エマ・キャサリン夫人の写真をはじめとするご家族の写真や家系図を提供していただいた。同じく曽孫にあたられる故フィービー・バー氏（Mrs. Phoebe Barr）のご主人アンソニー・バー教授（Professor Anthony Barr）には、本書の趣旨をご理解いただき、同家に伝わるウィリアムソン旧蔵アルバムをはじめとする大変貴重なコレクションの数々（Williamson Collection）を快く提供していただいたことは、存外の喜びであった。また玄孫のサリアン・ファイソン・レントン氏（Mrs. Sally-Anne Fison Lenton）は、ウィリアムソン博士のロイヤル・メダルや伊藤博文夫人から贈られた銀製香炉の遺品などを提供して下さった。ご子孫の皆様には極めて深い感謝の意を表したい。さらに今年一月二十五日、レントン夫人とお嬢様のアミーリア・ローズ・レントン嬢（Miss Amelia Rose Lenton）が来日されて、福岡の正行寺で開かれた顕彰会に出席、われわれ関係者との交流が実現できたことは大きな喜びであった。私自身も直接貴重なお話をうかがうことができて有難かった。改めてお礼申し上げる。

ユニヴァーシティ・カレッジ・ロンドン化学部のアルウィン・デイヴィス教授（Professor Alwyn Davies）は、ウィリアムソン博士の諸論文をはじめ追悼文や関係文献の調査にご協力いただき、それらを提供して下さった。篤くお礼申し上げたい。総合研究大学院大学の菊池好行特任准教授の論文からは多くの示唆を受けた。とくにウィリアムソンとチャールズ・グレアムの化学教授法が、その後の薩長留学生や桜井錠二を通して日本の化学界に大きな影響を及ぼしている事実を知り、評伝を書く際のヒントを得ることができた。論文翻訳の承諾をいただいたことも合わせて、この場を借りて篤くお礼申し上げる。

また化学の専門分野において、的確な助言をいただいたオックスフォード大学の永瀬秀明教授ご夫妻にも大変お世話になった。深く感謝を申し上げる。

ウィリアムソンの諸論文や追悼文、伝記などは専門知識を必要とすることから、その翻訳にあたっては多くの方々の手を煩わさざるを得なかった。翻訳の労を執っていただいた佐藤顕明師、佐藤博子氏、井田淳子氏、波多江良子氏、竹原佐奈江氏には改めて深甚の謝意を表したい。原文と対照しつつ改訳したところもあるが、文責はすべて私にある。

次に掲げる関係諸機関には多くの資料や写真の閲覧、複写等の便宜を計っていただき、それらの一部は本書への掲載を許可していただいた。担当者のお名前は省略させていただくが、関係諸機関に対してお礼申し上げる。

ユニヴァーシティ・カレッジ・ロンドン（University College London）、王立化学協会（Royal Society of Chemistry）、バークベック・カレッジ（Birkbeck, University of London）、ウェルカム図書館（Wellcome Library, London）、大英図書館（The British Library）、国立肖像画美術館（National Portrait Gallery, London）、国立海洋博物館（National Maritime Museum, London）、イングランド銀行（Bank of England）、ロンドン市公文書館（London Metropolitan Archives）、カムデン地方研究資料館（Camden Local Studies and Archives）、ケンジントン・チェルシー地方研究所（Kensington and Chelsea Local Studies）、公共記録所（General Register Office）、国立資料公文書館（National Archives Public Record Office）、ヘイズルミア図書館（Haslemere Library）、東部サセックス公文書館（East Sussex Record Office）、ヒギンズ美術博物館（The Higgins Art Gallery and Museum, Bedford）、横浜開港資料館、山口県文書館、萩市萩博物館、鹿児島県立図書館、鹿児島県歴史資料センター黎明館、いちき串木野市薩摩藩英国留学生記念館、日本カメラ博物館、東京工業大学博物館、長崎大学付属図書館、国立国会図書館、国立科学博物館、造幣局、佐賀県立博物館、東京ガスガスミュージアム。

また、ハイデルベルグ大学やギーセン研究所の貴重な写真をご提供いただいたベルリン在住のミヒャエラ・ヴィーザー氏（Mrs. Michaela Vieser）、日本人留学生や関係人物の写真を数多く御提供下さった石黒コレクション保存会の石黒敬章氏にも篤くお礼申し上げる。

最後に、手書き原稿を入力、校正、編集に至るまで統括していただいた正行寺の佐藤圓明師とご協力下さったスタッフの方々、本の装丁、デザイン、写真の構成、配置などをご担当いただいたアート・ディレクターの米持洋介氏とデザイナーの門馬賢史氏に対して深甚の謝意を表したい。三氏と何度も検討を重ね、議論を尽くして本書は出来上がった。おおげさに言えば四人が心魂を込めた一書であり、それを表現した作品だと思っている。読者の皆様が楽しみながら一ページ一ページを繙いて下さることを願っている。

現在の厳しい出版事情にもかかわらず、本書の出版を引き受けていただいた海鳥社にお礼申し上げる。

本書をウィリアムソン博士御夫妻の御霊に捧げたい。

二〇一五年五月六日

和暦立夏の吉日に誌す

犬塚孝明

ウィリアムソン教授御夫妻顕彰碑 / 日本人客死留学生墓群 / 客死留学生記念碑

墓群の右端には客死留学生記念碑（1997 年建立）、
左側には黒御影石のウィリアムソン教授御夫妻顕彰碑（2013 年建立）が建つ。

撮影：佐藤暢隆

一八六三年・文久三年
伊藤博文
遠藤謹助
井上馨
井上勝
山尾庸三

日本人留学生記念碑

長州と薩摩の留学生 24 名を称える記念碑がユニヴァーシティ・カレッジ・ロンドンの中庭に建つ。
1993 年、日本人英国留学 130 周年を記念して建立された。

撮影：佐藤暢隆

参考文献

Bibliography

1　ウィリアムソンの著書・論文・講演録

Chemistry for Students. 3rd ed. Oxford: Clarendon Press, 1873.

"Some Experiments on Ozone." *Comptes Rendus à l'Académie.* Mars. 1845.

"On Etherification." *Quarterly Journal of the Chemical Society.* 1852.

A. W. Williamson, and W. J. Russell. "On a New Method of Gas-analysis." *Proceedings of the Royal Society.* Vol. ix, 1864.

"Note on the Calculus of Chemical Operations." *Chemical News.* 5 July. 1867.

"On the Atomic Theory." *Journal of the Chemical Society.* Vol. 22, 1869.

"Development of Difference, the Basis of Unity." London: Taylor, Walton and Maberly, 1849.

"A Plea for Pure Science: Being the Inaugural Lecture." London: Taylor and Francis, 4 Oct. 1870.

2　英文書目（著者名アルファベット順）

H. Hale Bellot. *University College London 1826-1926.* London: University of London Press Ltd, 1929.

John M. Clarke. London's Necropolis: *A Guide to Brookwood Cemetery.* Stroud: Sutton Publishing Ltd, 2004.

John M. Clarke. *The Brookwood Necropolis Railway.* Usk, Monmouthshire: The Oakwood Press, 2006.

Edward Divers. "Alexander W. Williamson: Obituary Notices of Fellows Deceased." *Proceeding of the Royal Society.* Vol. 78, 1907.

George Carey Foster. "Alexander William Williamson: Obituary." *Journal of the Chemical Society.* Vol. 87, 1905.

J. Harris, and W. H. Brock. "From Giessen to Gower Street: Towards a Biography of Alexander William Williamson (1824-1904)." *Annals of Science.* Vol. 31, No. 2, 1974.

Negley Harte, and John North. *The World of UCL, 1828-1990.* University College London, 1991.

Yoshiyuki Kikuchi. "Samurai Chemists, Charles Graham and Alexander William Williamson at University College London, 1863-1872." *Ambix.* Vol. 56, No. 2, 2009.

Greta A. Turner. Shottermill: *its Farms, Families and Mills Part 2 - 1730 to the Early 20th Century.* Eastbourne: Antony Rowe Ltd, 2005.

3　和文書目（資料・著書・論文）

春畝公追頌会編刊『伊藤博文伝』上巻、一九四〇年。

井上馨侯伝記編纂会編『世外井上公伝』第一巻、内外書籍、一九三三年。

中原邦平編刊『井上伯伝』巻之二、一九〇七年。

井上馨「懐旧談」（『防長史談会雑誌』第一七号・一九号、一九〇一年）。

末松謙澄『維新風雲録　伊藤・井上二元老直話』哲学書院、一九〇〇年。

村井正利『子爵井上勝君小伝』井上子爵銅像建設同志会、一九一五年。

日本史籍協会編『木戸孝允文書』第二、日本史籍協会、一九三〇年。

日本史籍協会編『木戸孝允日記』二、東京大学出版会、一九八五年復刻。

木戸孝允文書研究会編『木戸孝允関係文書』第一巻、東京大学出版会、二〇〇五年。

公爵島津家編纂所編『薩藩海軍史』中巻、原書房、一九六八年復刻。

鹿児島県歴史資料センター黎明館編『鹿児島県史料　玉里島津家史料』四、鹿児島県、一九九五年。

上沼八郎・犬塚孝明編『新修森有礼全集』第三巻・別巻四、文泉堂書店、一九九八年・二〇一五年。

吉田清成関係文書研究会編『吉田清成関係文書』三、思文閣出版、二〇〇〇年。

桜井錠二『思出の数々——男爵桜井錠二遺稿』九和会、一九四〇年。

桜井錠二「欧米巡廻雑記」（『東洋学芸雑誌』第一九巻二四九号、一九〇二年）。

東京大学百年史編集委員会編『東京大学百年史』通史一、東京大学出版会、一九八四年。

国際ニュース事典出版委員会編『外国新聞に見る日本』本編第一巻、毎日コミュニケーションズ、一九八九年。

犬塚孝明『薩摩藩英国留学生』中公新書、一九七四年。

　『密航留学生たちの明治維新——井上馨と幕末藩士』ＮＨＫブックス、二〇〇一年。

　『海国日本の明治維新——異国船をめぐる一〇〇年の攻防』新人物往来社、二〇一一年。

　『若き森有礼——東と西の狭間で』ＫＴＳ鹿児島テレビ、一九八三年。

犬塚孝明・石黒敬章『明治の若き群像——森有礼旧蔵アルバム』平凡社、二〇〇六年。

井上幸治『ブルジョワの世紀』（『世界の歴史』12、中公文庫、一九七五年）。

北政巳『国際日本を拓いた人々——日本とスコットランドの絆』同文館出版、一九八四年。

上野益三『お雇い外国人3――自然科学』鹿島研究所出版会、一九六八年。

久保昌二『化学史――化学理論発展の歴史的背景』白水社、一九五九年。

古賀節子『英国留学生の墓標――維新四藩士の志に想う（増補版）』中央公論事業出版、二〇〇九年。

清水幾太郎『コント、スペンサー』（『世界の名著』36、中央公論社、一九七〇年）。

杉原四郎『J・S・ミルと現代』岩波新書、一九八〇年。

杉山伸也『明治維新とイギリス商人――トマス・グラバーの生涯』岩波新書、一九九三年。

関嘉彦『ベンサム、J・S・ミル』（『世界の名著』38、中央公論社、一九六七年）。

谷川稔・北原敦・鈴木健夫・村岡健次『近代ヨーロッパの情熱と苦悩』

（『世界の歴史』22、中央公論新社、一九九九年）。

廣田襄『現代化学史――原子・分子の科学の発展』京都大学学術出版会、二〇一三年。

村岡健次・河村貞枝訳、エイザ・ブリッグズ『ヴィクトリア朝の人びと』ミネルヴァ書房、一九八八年。

山岡望『化学史伝』内田老鶴圃新社、一九六八年。

吉田光邦『お雇い外国人2――産業』鹿島研究所出版会、一九六八年。

石井紫郎「桜井錠二の『明治九年英国留学の懐旧談』」（『日本学士院紀要』第六六巻第一号、二〇一一年）。

菊池好行「桜井錠二とイギリス人化学者コネクション」（『化学史研究』第三一巻第四号、二〇〇四年）。

小山慶太「ロンドンの漱石と二人の化学者」（『早稲田人文自然科学研究』第二七号、一九八五年）。

山下愛子「黎明期日本に化学の基礎を築いた桜井錠二――および彼をめぐる人々」

（『MOL化学技術誌』第四巻第六号、一九六三年）。

Alexander William Williamson Portrait Gallery

1860
Getty Images

Williamson Collection / Phoebe Barr

Williamson Collection / Phoebe Barr

Royal Society of Chemistry

Royal Society of Chemistry

Royal Society of Chemistry

Royal Society of Chemistry

1870

© National Portrait Gallery, London

1865

Getty Images

1887
Courtesy of UCL Art Museum

Royal Society of Chemistry

Williamson Family Tree

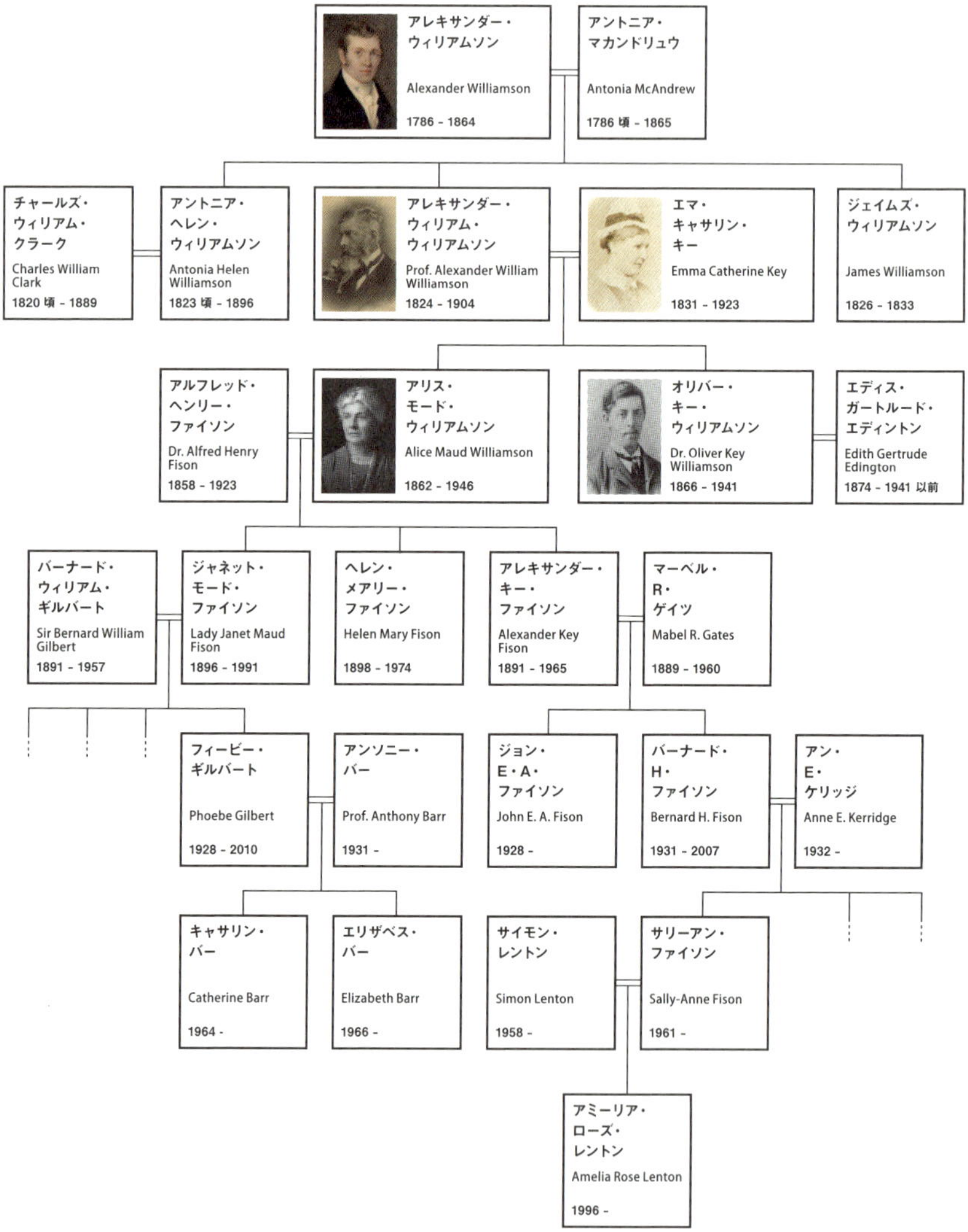
アレキサンダー・ウィリアムソン
Alexander Williamson
1786 - 1864
アントニア・マカンドリュウ
Antonia McAndrew
1786 頃 - 1865
チャールズ・ウィリアム・クラーク
Charles William Clark
1820 頃 - 1889
アントニア・ヘレン・ウィリアムソン
Antonia Helen Williamson
1823 頃 - 1896
アレキサンダー・ウィリアム・ウィリアムソン
Prof. Alexander William Williamson
1824 - 1904
エマ・キャサリン・キー
Emma Catherine Key
1831 - 1923
ジェイムズ・ウィリアムソン
James Williamson
1826 - 1833
アルフレッド・ヘンリー・ファイソン
Dr. Alfred Henry Fison
1858 - 1923
アリス・モード・ウィリアムソン
Alice Maud Williamson
1862 - 1946
オリバー・キー・ウィリアムソン
Dr. Oliver Key Williamson
1866 - 1941
エディス・ガートルード・エディントン
Edith Gertrude Edington
1874 - 1941 以前
バーナード・ウィリアム・ギルバート
Sir Bernard William Gilbert
1891 - 1957
ジャネット・モード・ファイソン
Lady Janet Maud Fison
1896 - 1991
ヘレン・メアリー・ファイソン
Helen Mary Fison
1898 - 1974
アレキサンダー・キー・ファイソン
Alexander Key Fison
1891 - 1965
マーベル・R・ゲイツ
Mabel R. Gates
1889 - 1960
フィービー・ギルバート
Phoebe Gilbert
1928 - 2010
アンソニー・バー
Prof. Anthony Barr
1931 -
ジョン・E・A・ファイソン
John E. A. Fison
1928 -
バーナード・H・ファイソン
Bernard H. Fison
1931 - 2007
アン・E・ケリッジ
Anne E. Kerridge
1932 -
キャサリン・バー
Catherine Barr
1964 -
エリザベス・バー
Elizabeth Barr
1966 -
サイモン・レントン
Simon Lenton
1958 -
サリーアン・ファイソン
Sally-Anne Fison
1961 -
アミーリア・ローズ・レントン
Amelia Rose Lenton
1996 -

The Map of Brookwood Cemetery

❶ ウィリアムソン夫妻の墓
❷ 客死留学生の墓・ウィリアムソン御夫妻顕彰碑
❸ 北駅跡
❹ 南駅跡

著者略歴

犬塚孝明（いぬづか・たかあき）

一九四四年神奈川県に生まれる。学習院大学経済学部卒業。武蔵大学人文学部講師、鹿児島純心女子大学教授・副学長を経て同大学名誉教授。文学博士（法政大学）。薩摩藩英国留学生記念館名誉館長。専門は日本政治外交史・日欧交渉史。著書：『薩摩藩英国留学生』（中央公論社）『若き森有礼』（鹿児島テレビ）『森有礼』『寺島宗則』『明治維新対外関係史研究』『明治外交官物語』（以上吉川弘文館）『密航留学生たちの明治維新』『ニッポン青春外交官』『独立を守った現実外交』（以上ＮＨＫ出版）『海国日本の明治維新』（新人物往来社）ほか多数。

ヴィクトリア朝英国の化学者と近代日本

アレキサンダー・ウィリアム・ウィリアムソン伝

発行日　二〇一五年七月二十四日　初版第一刷発行
著者　犬塚孝明
発行　ウィリアムソン先生顕彰会（会長 竹原智明）
発売　海鳥社
福岡県福岡市博多区奈良屋町一三－四
電話（〇九二）二七二－〇一二〇
ファックス（〇九二）二七二－〇一二一
装丁　ケース（米持洋介　門馬賢史）
撮影　佐藤暢隆
印刷　株式会社ケーコム